Av. Ricardo Lyon 946, Santiago de Chile

Registro de Propiedad Intelectual
Inscripción N° 109.429, año 1999
Santiago - Chile

Se terminó de imprimir esta primera edición
en el mes de julio de 1999

IMPRESORES: Impresos Universitaria S.A.

IMPRESO EN CHILE / PRINTED IN CHILE

ISBN 956-13-1589-0

HORACIO QUIROGA - MANUEL ROJAS
SALVADOR SALAZAR ARRUÉ - ARTURO USLAR PIETRI
AUGUSTO ROA BASTOS - JUAN RULFO
GUILLERMO BLANCO
GABRIEL GARCÍA MÁRQUEZ

# CUENTOS LATINOAMERICANOS

Antología y comentarios de
FIDEL SEPÚLVEDA Y LORENA DÍAZ

EDITORIAL ANDRÉS BELLO
Barcelona • Buenos Aires • México D.F.• Santiago de Chile

# I. INTRODUCCIÓN

## ES IMPORTANTE LEER HOY

En medio del ritmo acelerado de la vida actual es importante detenerse. Detenerse a pensar, a reflexionar y preguntarse: ¿Para dónde voy y con tanta prisa? ¿O no voy, sino que me llevan y no me han dicho hacia dónde?

Cuando todo me lo dan hecho, envasado y listo para ser consumido, es esencial darse tiempo y recuperar el derecho a preguntar qué es esto que me imponen consumir. También me imponen un precio: mi libertad de elegir. Más importante aún: mi facultad de crear, desde mi humanidad, mi propio mundo, personal y comunitario.

Hoy hay una presencia que lo monopoliza todo: la televisión. Está con los niños y con los jóvenes más tiempo que sus padres y profesores y no consulta ni escucha. Ella impone. Impone su ritmo. Impone sus modelos de familia, de sociedad, su visión de la naturaleza. También sus condiciones para mirar, escuchar, pensar, soñar. Ella no dialoga, sólo monologa y, por tanto, no acepta preguntas ni interrogaciones.

Y quien vive expuesto a la televisión demasiado tiempo termina por aceptar la escala de valores (o de antivalores) que ella le impone y por hacer suya la visión de la realidad que le entrega, que no es la realidad, y que tampoco tiene concordancia con nuestra tradición cultural.

Por esto es importante leer hoy. Es importante e impostergable recuperar nuestro derecho a ver, a escuchar, a experimentar con nuestros sentidos. Recuperar nuestros ojos para ver lo que hay que ver, para oír lo que hay que oír: la alegría y el dolor de ser, de estar vivos aquí, en este rincón del mundo que es nuestra tierra, nuestro continente.

Recuperar nuestros sentimientos para solidarizar con lo bueno o rechazar lo malo que nos rodea y que solicita nuestra intervención y aporte.

Recuperar nuestra facultad de discernir entre lo válido y positivo y lo que es falso y negativo, entre lo que es claro y lo que es confuso, entre lo que es evidente y lo que exige ser meditado, procesado "con calma y buena letra".

Recuperar nuestro derecho a autodeterminarnos, dándole espacio y tiempo a toda nuestra capacidad para optar y realizar esa opción y para seguirla a lo largo de todo su proceso de desarrollo.

La lectura permite atender a nuestros sentidos, a nuestros sentimientos, a nuestros discernimientos, a nuestras decisiones. Nos permite y nos exige desarrollar nuestra capacidad de creación y de crítica.

Toda lectura es a la vez una escritura. Todo texto es una escritura inconclusa que pide ser completada con nuestra personal escritura y esto exige el ejercicio de mi capacidad crítica y creativa; crítica para comprender lo que está escrito y valorar su mérito, y creadora para completar lo que falta en el texto.

El texto literario me da la oportunidad de detenerme en la lectura, tomar distancia, ratificar o rectificar lo escrito. Me invita a darle salida a mi admiración y a mi capacidad de asombro. Este ejercicio me ayuda a situarme frente al talento y al genio de otros hombres: los escritores.

La lectura, en esta invitación a situarme, me ayuda a mirarme con ojos exigentes y a la vez generosos. Ojos exigentes, porque una buena obra me demanda ponerme a su altura, me obliga a salir de mi estrecho círculo de rutina diaria para comprenderla y apreciarla. Ojos generosos, porque la lectura de una buena obra es una mano que me tiende otro hombre para avanzar por un mundo desconocido al que yo solo no habría podido acceder.

La lectura invita a todo mi ser a desarrollarse en profundidad, en altura, en rigor, en finura. Me revela la profundidad, altura, rigor y finura que hay en mi humanidad. La lectura es el camino que me conduce a descubrirme como un ser maravilloso, digno del máximo respeto y amor. Los escritores son hombres que han descubierto esto y lo han escrito y nosotros, al leer, lo encarnamos; hacemos que ocurra en nosotros, en nuestro mundo.

América es un continente que está haciéndose. Los escritores han comenzado esta tarea maravillosa, necesaria y urgente. Nosotros, al leer, vamos a incorporarnos a esta obra creadora necesaria y urgente. América es nuestra y espera que nosotros la llevemos a su plenitud como espacio donde la humanidad pueda ser completamente humana.

Para la etapa de la enseñanza media el cuento es un tipo de lectura que brinda al estudiante un universo rico donde desplegar su dimensión crítica y creadora. El cuento le ofrece variados modelos de itinerancias a través de los cuales los personajes buscan darle sentido a su existencia. Para esto deben establecer contratos consigo mismos, con los otros, con el mundo material y el espiritual que les revelarán la riqueza y el misterio de lo existente.

El avance a la conquista del sentido obliga a asumir las pruebas, a vencer los obstáculos que distancian la meta.

Finalmente, explícito o implícito, hay un desenlace que precisa el sentido del acontecer y arroja una luz que revela la bondad, la maldad o la ambigüedad de lo obrado.

# II. EL CUENTO

## 1. ACCIÓN O ACONTECIMIENTO

"Pero ya era tarde para retroceder: había puesto la mano sobre el picaporte, y la puerta comenzaba a abrirse lentamente."

(*Misa de Réquiem,* de Guillermo Blanco)

Acción es lo que ocurre en un relato, realizado por el o los personajes en un cierto espacio y tiempo.

Analizaremos los siguientes aspectos en la acción del cuento: intriga y fábula, fases, composición, motivos y tema.

1.1. **Intriga y fábula:** Ambos términos están ligados. Al leer un cuento (o cualquier obra narrativa) realizamos un doble proceso. Leemos siguiendo el itinerario de la intriga (es decir, la acción con todas sus dislocaciones temporales y espaciales, el orden estético) y simultáneamente efectuamos una síntesis que tiende a ordenar los acontecimientos en fábula (orden lógico y cronológico).

La distinción entre la intriga y la fábula facilita la comprensión de cuentos complejos que han sido creados con técnicas innovadoras.

Ejemplo: delimitaremos la intriga y la fábula del cuento *La noche boca arriba,* de Julio Cortázar.

*Intriga:* Un joven motociclista sufre un choque al tratar de evitar a una mujer. Se desmaya, es llevado a una farmacia, luego al hospital, donde es operado. Comienza a soñar que es un guerrero que huye de los aztecas. Despierta y se encuentra en la cama del hospital con su brazo enyesado, pasa el día recibiendo atención. Vuelve al mismo sueño, donde al fin es capturado. El enfermo de la cama de al lado le dice que debe estar delirando por la fiebre. Se distrae. Retorna nuevamente a la pesadilla y al querer incorporarse se ve atado, en espera de su turno para el sacrificio. Intenta escapar de esas imágenes aterradoras, despabilarse, pero cada vez que junta sus párpados, éstas vuelven a aparecer. Inicia el ascenso a la piedra del sacrificio, trata de despertar, no puede. Cuando el cuchillo se acerca a su cuerpo comprende que ésta es su realidad y que el sueño había sido el otro (ser motociclista).

*Fábula:* Un moteca que participa en la guerra florida comienza a escapar de sus cazadores y en la huida va proyectándose en un hombre del siglo XX. Finalmente "despierta" en el instante de su sacrificio.

Al ordenar los acontecimientos se nos revela el verdadero sueño.

1.2. **Fases:** Podemos determinar diferentes etapas en la acción.

1.2.1. *Exposición o presentación:* Situación inicial. En esta parte conocemos el espacio, el tiempo, los personajes; en síntesis, los primeros informes que sugieren la acción. La exposición es de carácter estático cuando el narrador describe la situación en un estilo indirecto, o de carácter dinámico cuando se inicia la acción mediante el diálogo de los personajes en un estilo directo.

1.2.2. *Progresión:* Es el avance rápido o lento de incidentes y episodios. Nuestro ánimo se mantiene en suspenso y comienza a definirse la acción.

1.2.3. *Crisis:* La acción avanza, llega a su máxima tensión (clímax).

1.2.4. *Desenlace:* Es el momento final. Luego del clímax viene una progresión descendente. Conocemos el resultado de la acción, es decir, lo que sucede con los personajes. El desenlace puede ser cerrado o abierto.

Ejemplificaremos las fases con el cuento *Sub sole,* de Baldomero Lillo.

*Exposición:* Se describe el mar y la situación: Cipriana, una mariscadora, va con su pequeño hijo, como todos los días, a trabajar recogiendo los productos que el mar deja en las rocas. Observa allí un hermoso caracol e intenta sacarlo, para que su hijo tenga un juguete. La exposición presenta un carácter estático (estilo indirecto):

"...el recuerdo de su hijo le sugirió el pensamiento de que sería aquello un lindo juguete para el chico..."

*Progresión:* Al intentar conseguir el caracol, la mano de Cipriana queda atrapada y comienza a realizar múltiples esfuerzos para liberarla. Además se da cuenta de que su hijo (que duerme en la playa) corre peligro, ya que la marea ha comenzado a subir.

*Crisis:* Cipriana se desespera, comienza a suplicar en forma desgarradora. Llegamos al clímax del cuento:

"¡Virgen Santa, ataja la mar; sujeta las olas; no consientas que muera desesperada...! ¡Misericordia, Señor! ¡Piedad, Dios mío!"

*Desenlace:* Las olas avanzan. Cipriana enloquece de dolor. Es cubierta por el mar. Su hijo se convierte en juguete del oleaje y finalmente muere.

"...el infinito dolor de la madre que, dividido entre las almas, hubiera puesto taciturnos a todos los hombres, no empañó con la más leve sombra la divina armonía de aquel cuadro palpitante de vida, de dulzura, de paz y amor."

1.3. **Composición:** En el desenlace de la acción pueden darse dos posibilidades:

1.3.1. *Composición cerrada:* El acontecer llega claramente a su fin. Ejemplo:

> "Dijo adiós y se fue arrastrando los pies, pesados por el desengaño. Pero desde la puerta se volvió para agregar, con lágrimas en los ojos:
> –Al niño le gusta mucho la pechuga. ¡Delen un pedacito...!"
>
> (*El padre*, de Olegario Lazo Baeza.)

1.3.2. *Composición abierta:* La acción queda planteada sin solución o con una solución sólo sugerida. Ejemplo:

> "...Mejor seguiré platicando... De lo que más ganas tengo es de volver a probar algunos tragos de la leche de Felipa, aquella leche buena y dulce como la miel que le sale por debajo a las flores del obelisco..."
>
> (*Macario*, de Juan Rulfo.)

1.4. **Motivo:** Es la fuerza que mueve a la acción. Podemos distinguir:

1.4.1. *Motivo principal:* Es aquel que genera y orienta la acción de todo el cuento.

1.4.2. *Motivos secundarios:* Son los que ayudan a configurar el motivo principal o central.

Ejemplificaremos con el cuento *Día domingo,* de Mario Vargas Llosa.

*Motivo principal:* El amor adolescente, que impulsa al protagonista a realizar acciones que nunca antes había emprendido.

*Motivos secundarios:* La amistad (que permite superar las diferencias ante la adversidad); el dolor (que siente frente al amor no correspondido, frente al amigo que lo humilla); el desafío (que los lleva a probarse frente a los demás y a sí mismos).

1.5. **Tema:** Es la idea central, el núcleo semántico que da sentido a toda la obra. Es el contenido que nos remite a una tradición cultural y a su presencia o su gravitación constante, recurrente, ya sea sicológica, filosófica, sociológica, etc. Así, el amor, la muerte, el absurdo, la justicia, la esperanza. Ejemplo:

El tema del cuento *La agonía de Rasu Ñiti,* de José María Arguedas, es la muerte-vida.

## 2. PERSONAJES

> "–Yo, señor, sólo soy guardagujas. A decir verdad, soy un guardagujas jubilado, y sólo aparezco aquí de vez en cuando para recordar los buenos tiempos."
>
> (*El guardagujas,* de Juan José Arreola.)

Son los seres que realizan la acción en el relato.

Podemos analizar el personaje desde diversas perspectivas complementarias: relieve, caracterización, modo de caracterizar, evolución, composición y proyección.

2.1. **Relieve:** Criterio que permite clasificar al personaje según el desempeño o papel que cumple en la historia:

2.1.1. *Personajes principales:* Cumplen funciones decisivas en el desenvolvimiento de la acción. La historia se desarrolla en torno a ellos o desde ellos. El más importante de estos personajes es el protagonista.

2.1.2. *Personajes secundarios:* Son personajes subordinados al o a los personaje(s) principal(es) y tienen una importancia menor en el desarrollo del acontecimiento.

2.1.3. *Personajes comparsa:* Desempeñan un papel complementario en el acontecer de la historia.

Ejemplificaremos el relieve a partir del cuento *La fotografía,* de Enrique Amorin.

*Personaje principal:* Madame Dupont.

*Personajes secundarios:* El fotógrafo, la maestra.

*Personajes comparsa:* La madre, los niños.

2.2. **Caracterización:** Permite acotar el perfil del personaje. Se realiza en tres aspectos: físico, sicológico y social.

2.2.1. *Aspecto físico:* Es la descripción de las características corporales: edad, estatura, contextura, sexo, raza, etc. Ejemplo:

> "El tío Crescente era alto, ancho de espaldas. Manos y voz grandes, ásperas, gruesas."
>
> *(Don Crescente y los ángeles,* de Guillermo Blanco)

2.2.2. *Aspecto sicológico:* Se acotan, se precisan los rasgos que permiten captar la vida interior del personaje. Ejemplo:

> "... al lado de aquel hombre solemne y taciturno no se sentía culpable de ser tal cual era: tonta, juguetona y perezosa."
>
> *(El árbol,* de María Luisa Bombal.)

2.2.3 *Aspecto social:* Se señalan las condiciones sociales, culturales, económicas de los personajes. Ejemplo:

> "Cayetano Maidana y Esteban Podeley, peones de obraje (...). Podeley, labrador de madera (...). Cayé –mensualero–."
>
> (*Los mensú,* de Horacio Quiroga.)

2.3. **Modo de caracterizar:** Hay dos modos: el directo y el indirecto.

2.3.1. *Modo directo:* El narrador entrega los rasgos del personaje en un texto descriptivo. Es una caracterización explícita. Ejemplo:

> "Todo el día, sentados en el patio en un banco, estaban los cuatro hijos idiotas del matrimonio Mazzini-Ferraz. Tenían la lengua entre los labios, los ojos estúpidos, y volvían la cabeza con toda la boca abierta."
>
> (*La gallina degollada,* de Horacio Quiroga)

2.3.2. *Modo indirecto:* Los rasgos del personaje se infieren a partir de sus actos, sus reacciones, discursos, etc. Es una caracterización implícita. Ejemplo:

> "Pero el hombre no quería morir, y descendiendo hasta la costa subió a su canoa. Sentóse en la popa y comenzó a palear hasta el centro del Paraná".
>
> (*A la deriva,* de Horacio Quiroga.)

2.4. **Evolución:** Según el desarrollo de la acción, los personajes se clasifican en dos formas:

2.4.1. *Personajes estáticos:* Se comportan de una misma manera desde el comienzo hasta el término del cuento. No sufren cambios notables ni en sus hábitos ni en sus características.

Ejemplo: el protagonista del cuento *Continuidad de los parques,* de Julio Cortázar.

2.4.2. *Personajes dinámicos:* Varían y modifican su forma de ser a lo largo del cuento.

Ejemplo: Emma Zunz, en el cuento del mismo nombre, de Jorge Luis Borges. Emma es una mujer tímida, pacífica y, para vengar la muerte de su padre, se convierte primero en una prostituta y luego en una asesina.

2.5. **Composición:** Según la configuración del personaje, puede ser:

2.5.1. *Personaje plano:* Presenta un rasgo dominante (atributo o cualidad). Los personajes son simples y muestran una sola faceta de su existencia o personalidad.

Ejemplo: Ñor Cornelio, el protagonista de *El clis de sol* (Manuel González Zeledón), es un personaje inocente y su nombre representa su situación de hombre engañado. Es el único atributo que lo distingue a lo largo del cuento.

2.5.2 *Personaje esférico:* Presenta una mayor complejidad, más de un rasgo caracterizador. Es el caso del protagonista de *La casa de Asterión* (Jorge Luis Borges). El Minotauro es un personaje complejo, contradictorio, animal, humano, filósofo, prisionero, víctima, victimario.

2.6. **Proyección:** Según la capacidad de representar en mayor o menor medida a la especie humana, tenemos:

2.6.1. *Personaje tipo:* Es el que por su carácter general deviene una representación abstracta y desencarnada de muchos.

Es el caso del minero, en los cuentos de Baldomero Lillo *(Sub terra).*

"Allí, en la lóbrega madriguera húmeda y estrecha, encorvábanse las espaldas y aflojábanse los músculos y como el potro resabiado que se estremece tembloroso a la vista de la vara, los viejos mineros cada mañana sentían tiritar sus carnes al contacto de la vena."

(*La compuerta número 12,* de Baldomero Lillo)

"Pero aquella pavorosa visión sólo duró el brevísimo espacio de un segundo: un terrible crujido conmovió las entrañas de la roca y los seis hombres envueltos en un torbellino de llamas, de trozos de madera y de piedras, fueron proyectados con espantosa violencia a lo largo del corredor."

(*El grisú,* de Baldomero Lillo.)

2.6.2. *Personaje símbolo:* Es el que posee un carácter concreto que encarna algo esencial de la especie, por tanto, de proyección universal.

Ejemplo: el padre, en el cuento *No oyes ladrar los perros,* de Juan Rulfo.

"–Bájame, padre.
–¿Te sientes mal?
–Sí.
–Te llevaré a Tonaya a como dé lugar. Allí encontraré quien te cuide. Dicen que allí hay un doctor. Yo te llevaré con él."

## 3. AMBIENTE

> "Los cerros ennegrecieron rápidamente, las estrellitas saltaron de todas partes del cielo; el viento silbaba en la oscuridad, golpeándose sobre los duraznales y eucaliptos de la huerta; más abajo, en el fondo de la quebrada, el río grande cantaba con su voz áspera."
>
> (*Warma Kuyay*, de José María Arguedas.)

Es la atmósfera de época y lugar donde se desarrolla la acción. Distinguiremos tres tipos:

3.1. **Ambiente físico:** Es el medio natural donde transcurre la historia. Determina el lugar geográfico y el tiempo histórico. Puede ser además un ambiente natural (campo) o cultural (una casa, aldea, ciudad).

3.2. **Ambiente sicológico:** Es el clima íntimo que impregna la obra. El ambiente sicológico surge principalmente de las circunstancias, de la relación de los personajes con el ambiente físico y, también, de los conflictos presentes en el cuento.

3.3. **Ambiente sociológico:** Emana de las condiciones sociales, culturales y económicas de los personajes.

Mostraremos este aspecto a partir del cuento *Casa tomada,* de Julio Cortázar.

*Ambiente físico:* Toda la historia transcurre en la casa, lugar espacioso, con dos ambientes, separados por una puerta de roble. En lo que respecta al tiempo histórico, se hace sólo una alusión temporal precisa:

"Desde 1939 no llegaba nada valioso a la Argentina."

*Ambiente sicológico:* La casa moldea la sicología de los personajes. Toda su vida gira en torno a ella. Los conflictos presentes en el cuento surgen en relación con la casa. Se da un ambiente sicológico de desencuentro, de agresividad que surge sin lucha, sin desgarro. La atmósfera de la casa influye vitalmente en los personajes.

*Ambiente sociológico:* Los personajes pertenecen a un estrato social adinerado, de clase alta. La casa es símbolo de su fortuna. Ellos, los dos, no necesitan trabajar, viven de sus rentas. Su cultura depende de las cosas que hay en la casa.

Es un ambiente que acusa la decadencia.

"Nos resultaba grato almorzar pensando en la casa profunda y silenciosa y cómo nos bastábamos para mantenerla limpia. A veces llegamos a creer que era ella la que no nos dejó casarnos."

## 4. NARRADOR

> "Ambos somos feos. Ni siquiera vulgarmente feos. Ella tiene un pómulo hundido. Desde los ocho años, cuando le hicieron la operación. Mi asquerosa marca junto a la boca viene de una quemadura feroz, ocurrida a comienzos de mi adolescencia."
>
> (*La noche de los feos,* de Mario Benedetti.)

El narrador es el responsable del discurso, del modo de representar la realidad. Es el que objetiva las diversas voces que utiliza el autor para comunicarnos la historia.

Estudiaremos la perspectiva narrativa, la actitud narrativa y los modos narrativos.

4.1. **Perspectiva narrativa o punto de vista:** Es la relación que adopta el narrador frente al acontecer de la historia. Clasificamos la perspectiva a partir de las personas gramaticales (primera y tercera persona). Además, no debemos olvidar que los puntos de vista pueden mezclarse.

4.1.1. *Narraciones en primera persona*

a) *Narrador protagonista:* Cuenta su historia (acciones, sentimientos, pensamientos) desde el yo. La suya es una perspectiva central, desde donde observa el mundo. Ejemplo:

> "Mi turno en el teatro era el último de la tarde. Yo corría a mi camarín, lustraba mis botones dorados y calzaba mi frac verde sobre chaleco y pantalones grises..."
>
> (*El acomodador,* de Felisberto Hernández.)

b) *Narrador testigo:* Es el que, a partir del yo, narra la historia en la que participa sin ser protagonista. Relata lo que hacen los demás personajes. Ejemplo:

> "Hasta vi cuando se derrumbaban las casas como si estuvieran hechas de melcocha, nomás se retorcían así, haciendo muecas y se venían las paredes enteras contra el suelo".
>
> (*El día del derrumbe,* de Juan Rulfo)

4.1.2. *Narración en tercera persona*

*Narrador omnisciente:* Lo conoce todo: lo interno y lo externo. Pasado, presente y futuro de los personajes y de la historia. Ejemplo:

"La madre le dejó y se fue. Paco, paso a paso, fue adelantándose al centro del patio, con su libro primero, su cuaderno y su lápiz. Paco estaba con miedo, porque era la primera vez que venía a un colegio y porque nunca había visto a tantos niños juntos."

(*Paco Yunque*, de César Vallejo.)

4.2. **Actitud narrativa:** Es la forma en que el narrador se relaciona con el lector. Por ejemplo, puede ignorarlo, hacerlo su cómplice, etc.

"Ésta es, incrédulos del mundo entero, la verídica historia de la Mamá Grande, soberana absoluta del reino de Macondo..."

(*Los funerales de la Mamá Grande*, de Gabriel García Márquez.)

### 4.3. **Tipos de discurso o modos narrativos**

4.3.1. *Estilo directo:* Los personajes hablan frente al lector sin intermediarios. Conocemos inmediatamente su pensamiento, ya que se reproduce literalmente lo que dicen a través del diálogo o monólogo. Ejemplo:

"–¿Y si hubiera mentido el tipo ése?
–¿Quién?
–El que nos dijo que lo vio.
–¿Leandro? No, no se atrevería a mentirme a mí. Dijo que está escondido en la cascada y es seguro que ahí está. Ya verás."

(*El hermano menor*, de Mario Vargas Llosa.)

4.3.2. *Estilo indirecto:* El narrador presenta a los personajes que hablan y lo que dicen. Este estilo implica un fuerte grado de intromisión del lenguaje del narrador en el pensamiento del personaje. Ejemplo:

> "Mi madre dijo que José Ventura se había portado muy bien; el único de la familia que se había portado bien."
>
> (*El orden de las familias,* de Jorge Edwards.)

4.3.3. *Estilo indirecto libre:* El narrador se mantiene presente y su punto de hablada parece situarse en el interior del personaje, absteniéndose de usar verbos introductorios como sintió, temió, deseó, pensó, etc. Como aquí:

> "Un asomo de lucidez penetró de pronto la nube alcohólica que oscurecía su cerebro. Se arrodilló, vacilante. La tocó. Tocó su cintura, su pecho, su mentón. Pasó suavemente los dedos por su cabello.
> *Está muerta.*
> Volvió a tocarle el pecho: no, no se movía.
> *Está muerta*".
>
> (*La mano,* de Guillermo Blanco.)

## 5. TIEMPO

> "¡Mañana me despertaré en la estancia, pensaba, y era como si a un tiempo fuera dos hombres: él, que avanzaba por el día otoñal y por la geografía de la patria, y el otro, encarcelado en un sanatorio y sujeto a metódicas servidumbres."
>
> (*El sur,* de Jorge Luis Borges.)

o narrativo es la duración específica que los
entos tienen en un relato. El suceso narrado
rar más o menos de lo que dura en la realidad
e. tual. Esto es importante para comprender la obra
litera a como creación de una realidad nueva y no sólo como reproducción de algo preexistente. El orden y la duración nuevos de una historia son dimensiones significativas para valorar la calidad estética de un relato. El ritmo, fundamental para que ocurra la dimensión estética, en parte relevante depende del orden y la duración que está animando un relato.

Analizaremos el orden y la duración temporales.

5.1. **Orden temporal:** El cuento se desenvuelve en una sucesión de instantes. Éstos pueden relatarse de dos maneras: siguiendo el orden cronológico de los acontecimientos (linealidad) o siguiendo las solicitaciones de la duración síquica (anacronías), ya sea con movimientos al pasado o al futuro. Analizaremos estas anacronías o rupturas del orden cronológico del acontecer.

5.1.1. *Retrospección:* El narrador interrumpe la marcha de su narración y desde ese punto presente recupera hechos del pasado. Se denomina *racconto* cuando la vuelta al pasado es larga, y cuando el retroceso es breve se denomina *flash-back* (expresión adoptada del lenguaje cinematográfico). He aquí dos casos:

> "Esto sucedió cuando yo era muy chico, cuando tía Matilde y tío Gustavo y tío Armando, hermanos solteros de mi padre, y él mismo, vivían aún."

(*Paseo,* de José Donoso.)

> "Lo habían traído de madrugada. Y ahora era ya entrada la mañana y él seguía todavía allí, amarrado a un horcón, esperando. No se podía estar quieto."
>
> (*¡Diles que no me maten!*, de Juan Rulfo)

5.1.2. *Prospección:* El narrador, a partir del presente, adelanta hechos futuros. Esta anticipación discursiva recibe el nombre de prolepsis. Así:

> "Cuando sonó el tercer toque para misa, Mina retiró las mangas de la hornilla, y todavía estaban húmedas. Pero se las puso. El padre Ángel no le daría la comunión con un vestido de hombros descubiertos."
>
> (*Rosas artificiales,* de Gabriel García Márquez.)

5.2. **Duración temporal:** Son las diversas velocidades con que se presentan las distintas fases de un acontecimiento. La rapidez o lentitud de un relato no incide en su calidad estética. Ésta depende de la índole del tema que puede exigir para su logro artístico una escritura lenta o rápida.

5.2.1. *Isocronía:* Tiende a respetar la duración del tiempo de la historia.

a) *Escena dialogada o dramática:* Hace coincidir, en los diálogos de los personajes, la duración de los momentos de la acción con los de la narración. Ejemplo:

> "–Un vaso de leche.
> –¿Grande?
> –Sí, grande.
> –¿Sólo?
> –¿Hay bizcochos?

–No; vainillas
–Bueno, vainillas".

(*El vaso de leche,* de Manuel Rojas.)

5.2.2. *Anisocronía:* Instituye una velocidad de narración diferente.

a) *Sumario o narración sumaria:* Narra en pocos párrafos la acción de muchos días, meses, años. Como en este caso:

> "A mediados de 1848 se les señala en el pueblo de Teffe, y a principios de 1849, entrando en excursión al Juruá. Cinco meses más tarde han regresado a ese pueblo acarreando dos piraguas más, cargadas de curiosos ejemplares zoológicos y botánicos".
>
> (*El pájaro verde,* de Juan Emar)

b) *Pausa descriptiva:* El narrador delinea escenarios, personajes, situaciones, etc., suspendiendo la marcha de la narración. Aquí tenemos un ejemplo:

> "Era un alazán de tres para cuatro años, alto, esbelto, con el lomo derecho, la barriga pegada entre los músculos, las patas delgadas, envueltas en una vigorosa nervadura y la cabeza pequeña. Pero lo que más llamaba la atención en este extraordinario ejemplar eran la piel y los ojos; la primera reluciente, tan aterciopelada como la de los lobos marinos de dos pelos, de un color encendido y cambiante como la llama, cuando los tensos músculos hacían algún movimiento; y los ojos eran dos bolas de luz cuajadas, latentes, que pasaban de un brillo acerado cuan-

do se encabritaba, hasta una opacidad serena y profunda".

(*El flamenco,* de Francisco Coloane.)

c) *Elipsis temporal:* El narrador omite momentos de la acción. Leamos este caso:

"¡Ánimas del Purgatorio! –clamaba de rodillas–. ¡Ánimas del Purgatorio! ¡Nos vamos a morir achicharrados si ustedes no nos ayudan!
Días más tarde el potro bayo amaneció tristón e incapaz de levantarse; esa misma tarde el nieto se tendió en el catre, ardiendo en fiebres".

(*Dos pesos de agua,* de Juan Bosch)

## 6. ESPACIO

"Aquél túnel del Chaco y este túnel que él mismo había sugerido cavar en el suelo de la cárcel, que él personalmente había empezado a cavar y que, por último, sólo a él le había servido de trampa mortal; este túnel y aquél eran el mismo túnel; un único agujero recto y negro con un boquete de entrada pero no de salida."

(*La excavación,* de Augusto Roa Bastos.)

Es el lugar ideado por el narrador para que en él ocurran los hechos. Puede ser externo o interno, abierto o cerrado. Lo importante es entender la función que este lugar desempeña en relación con el acontecimiento y con los personajes. Puede ser un lugar donde acontecen los hechos sin que tenga mayor gravitación. Puede ocurrir que este lugar sea fundamental como fuerza o agente que impulsa o impide la acción. Puede, en este último caso, ser una réplica o presencia simbólica de las fuerzas que están en pugna o encarnar la indiferencia o el poderío de un destino que condena o que salva.

Es frecuente también encontrarse con espacios que son símbolos de los estados de ánimo o de los sentimientos o pasiones que dominan a los personajes.

Así, en el cuento *La mujer*, de Juan Bosch, el espacio es símbolo de destrucción y muerte que anuncia la trayectoria vital de la protagonista, que se niega a sí misma toda posibilidad de superar su estado.

"La carretera está muerta. Nadie ni nada la resucitará. Larga, infinitamente larga, ni en la piel gris se le ve vida".

## 7. PROCEDIMIENTOS EXPRESIVOS

El lenguaje literario nos revela la realidad en una dimensión diferente. Las palabras cobran nuevos sentidos y permiten crear un mundo nuevo. Estudiaremos tres niveles: fónico, morfosintáctico y semántico.

7.1. **Nivel fónico:** Analizamos los fenómenos de lenguaje que corresponden a los sonidos.

7.1.1. *Aliteración:* Reiteración de un sonido o de una serie de sonidos semejantes, como:

> "Sobre un peral amarillo de frutos, están arrullándose dos tórtolas. La siesta canta como una guitarra sobre los potreros, las flores y los seres".
>
> (*El callejón de los gansos*, de Óscar Castro.)

7.1.2. *Onomatopeya:* Los fonemas sugieren el objeto o la acción que significan. Es decir, el sonido articulado imita el sonido real designado por la palabra. Éste es un ejemplo claro:

> "–¡Guau, guau! –dijo.
> Hablaba su propio idioma. Había logrado la suprema libertad."
>
> (*Viaje a la semilla,* de Alejo Carpentier.)

7.2. **Nivel morfosintáctico:** En este nivel estudiamos la forma y la relación de los signos lingüísticos en las estructuras sintácticas.

7.2.1. *Repetición:* Consiste en reiterar una palabra u oración para intensificar el sentido. Ejemplo:

> "Ahora, ¿qué es lo que iba a pasar? –ni pensé; y el viejo–: ¡Lo mato, lo mato! Ya era alta la altura."
>
> (*Tarantón, mi patrón...,* de João Guimarães Rosa.)

7.2.2. *Anáfora:* Repetición de una o más palabras al comienzo de las oraciones. Ésta es una muestra de lo dicho:

> "Inútil resistir, inútil huir, todo inútil."
>
> (*Los hermanos Dagobé,* de João Guimarães Rosa.)

7.2.3. *Epíteto:* Adjetivo que indica una cualidad propia del sustantivo. Ejemplo:

> "Desde el rancho veíanse vagar por el pajonal reflejos luminosos, anaranjados o amarillentos, que contrastaban con la noche negra..."
>
> (*El Diablo en Pago Chico,* de Roberto J. Payró.)

7.2.4. *Hipérbaton:* Consiste en invertir el orden gramatical de la oración, para destacar alguna parte de ella.

> "Para olvidarnos de nosotros mismos, Adriana y yo vagábamos por las calles desiertas de la aldea."
>
> (*El viento distante,* de José Emilio Pacheco.)

7.3. **Nivel semántico:** En este nivel lo que importa es el significado.

7.3.1. *Metáfora:* Consiste en dar a una cosa el nombre de otra, trasladando el significado de una palabra a otra, en virtud de una relación de semejanza. He aquí un ejemplo:

> "María miró por debajo de la manta, y vio unos ojos de hielo y un índice inapelable que le indicó la fila."
>
> (*Sólo vine a hablar por teléfono,* de Gabriel García Márquez.)

7.3.2. *Comparación:* Expresa la relación de semejanza que existe entre dos elementos. Siempre lleva expreso el término comparativo (como, así, tal como, etc.). Como leemos aquí:

> "...en un traje cortado como una sotana."
>
> (*La siesta del martes,* de Gabriel García Márquez.)

7.3.3. *Oxímoron:* Contradicción violenta entre palabras vecinas o yuxtapuestas. Ejemplo:

> "...al final de esta llanura rajada de grietas y de arroyos secos".
>
> (*Nos han dado la tierra,* de Juan Rulfo.)

7.3.4. *Antítesis:* Contraposición de dos pensamientos. Ejemplo:

> "...qué me importa si te has ido, si te has ahogado o todavía andas por los muelles mirando el agua, y además no es cierto porque estás aquí dormida..."
>
> (*El río*, de Julio Cortázar.)

7.3.5. *Sinestesia:* Consiste en unir en una imagen impresiones correspondientes a varios sentidos. Así:

> "...y además hay el gusto del pulóver, ese gusto azul de la lana que le debe estar manchando la cara..."
>
> (*No se culpe a nadie*, de Julio Cortázar.)

7.3.6. *Hipérbole:* Exageración que en algunos casos traspasa los límites de lo verosímil. Ejemplo:

> "Los veinte años que llevó de no dormir se le corrompieron de golpe al tomar el primer sueño del que ya no iba a despertar."
>
> (*Moriencia*, de Augusto Roa Bastos.)

7.3.7. *Personificación:* Consiste en atribuir a cosas concretas o conceptos, aptitudes o actitudes humanas. Aquí hay un caso:

> "Y el sueño trepado allí donde su espalda se encorvaba."
>
> (*La noche que lo dejaron solo*, de Juan Rulfo.)

7.3.8. *Sinécdoque:* Consiste en aludir a una pluralidad, nombrando algo singular: designar la parte por el todo. Ejemplo:

> "El primer violín de la orquesta Jardín Aéreo Imperius iba a colocar en su atril la partitura del Danubio Azul, cuando un camarero le alcanzó un sobre."
>
> (*La luna roja*, de Roberto Arlt.)

7.3.9. *Metonimia:* Consiste en designar una cosa con el nombre de otra, cuando existe entre ambas una relación de contigüidad. Por ejemplo, causa a efecto (vive de su título), continente a contenido (comieron un plato), signo a cosa significada (mató a su sangre), abstracto a concreto (la libertad fue alcanzada), materia a objeto (un bello haz de luz). Como se ve aquí:

> "Una cosa quiero pedirle antes que nos trabemos. Que en este encuentro ponga tanto su coraje y su maña, como en aquel otro hace siete años, cuando mató a mi hermano.
>
> Acaso por primera vez en su diálogo, Martín Fierro oyó el odio: Su sangre lo sintió como un acicate. Se entreveraron y el acero filoso rayó y marcó la cara del negro."
>
> (*El fin*, de Jorge Luis Borges.)

# Horacio Quiroga

*(Uruguayo, 1878-1937)*

"¡Tan lejos está la muerte, y tan imprevisto lo que debemos vivir aún!"

Se inició muy joven en la literatura, colaborando en diversas revistas. Su obra refleja experiencias de su vida; no obstante, éstas superan la mera anécdota y cobran un valor universal.

Hablar de su vida es sinónimo de tragedia y muerte. Su padre murió en un accidente de caza cuando él tenía tres meses; luego se suicidó su padrastro; accidentalmente dio muerte a su mejor amigo; su primera esposa también se suicidó. Finalmente, al descubrir que tenía cáncer, terminó con su existencia por propia mano.

Horacio Quiroga fue hombre de múltiples facetas: periodista, profesor de castellano, fotógrafo, juez de paz, oficial del registro civil, pionero de la cinematografía del Río de la Plata, colono, cónsul, industrial, pero por sobre todo escritor. Es considerado el primer maestro del cuento hispanoamericano, al que le imprimió su perfil como género literario, caracterizándolo además en el *Decálogo del perfecto cuentista* (1927).

Este escritor incansable, inseparable de su fatalidad, refleja también en su obra la presencia de la naturaleza exuberante. Quiroga sentía la selva metida dentro de sí, y su vida transcurrió entre numerosos intentos por instalarse en ella.

Huraño pero tierno, tímido, aventurero, donjuán, hipersensible, de figura taciturna y aspecto sombrío; supo crear una leyenda en torno a su persona, convirtiéndose en un ser desconcertante.

Obras: *Los arrecifes de coral* (1901); *El crimen del otro* (1904); *Historias de un amor turbio* (1908); *Cuentos de amor, de locura y de muerte* (1917); *Cuentos de la selva* (1918); *El salvaje* (1920); *Las sacrificadas* (1920); *Anaconda* (1921); *El desierto* (1924); *Los desterrados* (1926); *Pasado amor* (1929); *Más allá* (1935).

# EL HOMBRE MUERTO

El hombre y su machete acababan de limpiar la quinta calle del bananal. Faltábanles aún dos calles; pero como en éstas abundaban las chircas y malvas silvestres, la tarea que tenían por delante era muy poca cosa. El hombre echó, en consecuencia, una mirada satisfecha a los arbustos rozados, y cruzó el alambrado para tenderse un rato en la gramilla.

Mas al bajar el alambre de púa y pasar el cuerpo, su pie izquierdo resbaló sobre un trozo de corteza desprendida del poste, a tiempo que el machete se le escapaba de la mano. Mientras caía, el hombre tuvo la impresión sumamente lejana de no ver el machete de plano en el suelo.

Ya estaba tendido en la gramilla, acostado sobre el lado derecho, tal como él quería. La boca, que acababa de abrírsele en toda su extensión, acababa también de cerrarse. Estaba como hubiera deseado estar, las rodillas dobladas y la mano izquierda sobre el pecho. Sólo que tras el antebrazo, e inmediatamente por debajo del cinto, surgían de su camisa el puño y la mitad de la hoja del machete; pero el resto no se veía.

El hombre intentó mover la cabeza, en vano. Echó una mirada de reojo a la empuñadura del machete, húmeda aún del sudor de su mano. Apreció mentalmente la extensión y la trayectoria del machete dentro de su vientre, y adquirió, fría, matemática e inexorable, la seguridad de que acababa de llegar al término de su existencia.

La muerte. En el transcurso de la vida se piensa muchas veces en que un día, tras años, meses, semanas y días preparatorios, llegaremos a nuestro turno al umbral de la muerte. Es la ley fatal, aceptada y prevista; tanto, que solemos dejarnos llevar placenteramente por la imaginación a ese momento, supremo entre todos, en que lanzamos el último suspiro.

Pero entre el instante actual y esa postrera expiración, ¡qué de sueños, trastornos, esperanzas y dramas presumimos en nuestra vida! ¡Qué nos reserva aún esta existencia llena de vigor, antes de su eliminación del escenario humano!

Es éste el consuelo, el placer y la razón de nuestras divagaciones mortuorias: ¡Tan lejos está la muerte, y tan imprevisto lo que debemos vivir aún!

¿Aún?... No han pasado dos segundos: el sol está exactamente a la misma altura; las sombras no han avanzado un milímetro. Bruscamente, acaban de resolverse para el hombre tendido las divagaciones a largo plazo: Se está muriendo.

Muerto. Puede considerarse muerto en su cómoda postura.

Pero el hombre abre los ojos y mira. ¿Qué tiempo ha pasado? ¿Qué cataclismo ha sobrevivido en el mundo? ¿Qué trastorno de la naturaleza trasuda el horrible acontecimiento?

Va a morir. Fría, fatal e ineludiblemente, va a morir.

El hombre resiste –¡es tan imprevisto ese horror! Y piensa: Es una pesadilla; ¡esto es! ¿Qué ha cambiado? Nada. Y mira: ¿No es acaso ese bananal su bananal? ¿No viene todas las mañanas a limpiarlo? ¿Quién lo conoce como él? Ve perfectamente el bananal, muy raleado, y las anchas hojas desnudas al sol. Allí están, muy cerca, deshilachadas por el viento. Pero ahora no se mueven... Es la calma del mediodía; pero deben ser las doce.

Por entre los bananos, allá arriba, el hombre ve desde el duro suelo el techo rojo de su casa. A la izquierda, entrevé el monte y la capuera de canelas. No alcanza a ver más, pero sabe muy bien que a sus espaldas está el camino al puerto nuevo; y que en la dirección de su cabeza, allá abajo, yace en el fondo del valle el Paraná dormido como un lago. Todo, todo exactamente como siempre; el sol de fuego, el aire vibrante y solitario, los bananos inmóviles, el alambrado de postes muy gruesos y altos que pronto tendrá que cambiar...

¡Muerto! ¿Pero es posible? ¿No es éste uno de los tantos días en que ha salido al amanecer de su casa con el machete en la mano? ¿No está allí mismo con el machete en la mano? ¿No está allí mismo, a cuatro metros de él, su caballo, su malacara, oliendo parsimoniosamente el alambre de púa?

¡Pero sí! Alguien silba... No puede ver, porque está de espaldas al camino; mas siente resonar en el puentecito los pasos del caballo... Es el muchacho que pasa todas las mañanas hacia el puerto nuevo, a las once y media. Y siempre silbando... Desde el poste descascarado que toca casi con las botas, hasta el cerco vivo de monte que separa el bananal del camino, hay quince metros largos. Lo sabe perfectamente bien, porque él mismo, al levantar el alambrado, midió la distancia.

¿Qué pasa, entonces? ¿Es ése o no un natural mediodía de los tantos en Misiones, en su monte, en su potrero, en el bananal ralo? ¡Sin duda! Gramilla corta, conos de hormigas, silencio, sol a plomo...

Nada, nada ha cambiado. Sólo él es distinto. Desde hace dos minutos su persona, su personalidad viviente, nada tiene ya que ver ni con el potrero, que formó él mismo a azada, durante cinco meses consecutivos; ni con el bananal, obra de sus solas manos. Ni con su familia. Ha sido arrancado bruscamente, naturalmente, por obra de una cáscara lustrosa y un machete en el vientre. Hace dos minutos: Se muere.

El hombre, muy fatigado y tendido en la gramilla sobre el costado derecho, se resiste siempre a admitir un fenómeno de esa trascendencia, ante el aspecto normal y monótono de cuanto mira. Sabe bien la hora: las once y media... El muchacho de todos los días acaba de pasar el puente.

¡Pero no es posible que haya resbalado!... El mango de su machete (pronto deberá cambiarlo por otro; tiene ya poco vuelo) estaba perfectamente oprimido entre su mano izquierda y el alambre de púa. Tras diez años de bosque, él sabe muy bien cómo se maneja un machete de monte. Está solamente muy fatigado del trabajo de esa mañana, y descansa un rato como de costumbre.

¿La prueba?... ¡Pero esa gramilla que entra ahora por la comisura de su boca la plantó él mismo, en panes de tierra distantes un metro uno de otro! ¡Y ése es su bananal; y ése es su malacara, resoplando cauteloso ante las púas del alambre! Lo ve perfectamente; sabe que no se atreve a doblar la esquina del alambrado, porque él está echado casi al pie del poste. Lo distingue muy bien; y ve los hilos oscuros de sudor que arrancan de la cruz y del anca. El sol cae a plomo, y la calma es muy grande, pues ni un fleco de los bananos se mueve. Todos los días, como **ése**, ha visto las mismas cosas.

...Muy fatigado, pero descansa solo. Deben de haber pasado ya varios minutos... Y a las doce menos cuarto, desde allá arriba, desde el chalet de techo rojo, se desprenderán hacia el bananal su mujer y sus dos hijos, a buscarlo para almorzar. Oye siempre, antes que las demás, la voz de su chico menor que quiere soltarse de la mano de su madre: ¡Piapiá! ¡Piapiá!

¿No es eso?... ¡Claro, oye! Ya es la hora. Oye efectivamente la voz de su hijo...

¡Qué pesadilla!... ¡Pero es uno de los tantos días, trivial como todos, claro está! Luz excesiva, sombras amarillentas, calor silencioso de horno sobre la carne, que hace sudar al malacara inmóvil ante el bananal prohibido.

...Muy cansado, mucho, pero nada más. ¡Cuántas veces, a mediodía como ahora, ha cruzado volviendo a casa ese potrero, que era capuera cuando él llegó, y antes había sido monte virgen! Volvía entonces, muy fatigado también, con su machete pendiente de la mano izquierda, a lentos pasos.

Puede aun alejarse con la mente, si quiere; puede si quiere abandonar un instante su cuerpo y ver desde el tajamar por él construido, el trivial paisaje de siempre: el pedregullo volcánico con gramas rígidas; el bananal y su arena roja: el alambrado empequeñecido en la pendiente, que se acoda hacia el camino. Y más lejos aún ver el potrero, obra sola de sus manos. Y al pie de un poste descascarado, echado sobre el costado derecho y las piernas recogidas, exactamente como todos los días puede verse a él mismo, como un pequeño bulto asoleado sobre la gramilla –descansando, porque está muy cansado...

Pero el caballo rayado de sudor, e inmóvil de cautela ante el esquinado del alambrado, ve también al hombre en el suelo y no se atreve a costear el bananal, como desearía. Ante las voces que ya están próximas –¡Piapiá!– vuelve un largo, largo rato las orejas inmóviles al bulto: y tranquilizado al fin se decide a pasar entre el poste y el hombre tendido –que ya ha descansado.

## ANÁLISIS

La muerte es una presencia constante en nuestra vida, ya sea directa o indirectamente. Cada ser humano tiene una idea sobre la muerte. Para algunos, es un paso a un estado superior; para otros, el fin de la existencia. Independientemente de éstas y otras concepciones, aquel día en que cerraremos nuestros ojos a este mundo es inevitable: "La muerte. (...) Es la ley fatal, aceptada y prevista; tanto, que solemos dejarnos llevar placenteramente por la imaginación a ese momento, supremo entre todos, en que lanzamos el último suspiro."

En el cuento la agonía del personaje conmueve y lo absurdo del accidente que la provocó la torna aun más patética: "Mas al bajar el alambre de púa y pasar el cuerpo, su pie izquierdo resbaló sobre un trozo de corteza desprendida del poste, a tiempo que el machete se le escapaba de la mano."

El protagonista se da cuenta de que está muriendo. Intenta rescatar señales en su entorno que le digan lo contrario, que le prueben que nada ha cambiado. Los últimos minutos de su vida se debaten entre el deseo de recuperar su pasado, evitar el presente y proyectar el futuro.

El cuento tiene un orden estético en el cual la linealidad temporal es interrumpida por los recuerdos del hombre. Estudiaremos este fenómeno a partir de la *intriga* (es decir, la acción con todas sus dislocaciones temporales) y la *fábula* (orden lógico y cronológico de los acontecimientos).

*Intriga:*

–Un hombre trabaja, limpiando su bananal.
–Decide descansar un momento.

–Al cruzar el alambrado, resbala y cae sobre su machete.

–El hombre se da cuenta de que está muriendo.

–Reflexión del narrador sobre la muerte.

–Luego de dos segundos, el hombre se convence de su situación.

–Resistencia a la muerte. Comienza a observar y a reconocer su entorno. Piensa que su muerte es imposible.

–*Flash-back:* Recuerda el inicio del día cuando salió a trabajar con su machete.

–Pasa el muchacho que todos los días se dirige al puerto: él lo siente, pero no lo puede ver desde su posición. Son las 11.30 horas.

–*Flash-back:* Recuerda la construcción del alambrado.

–Transcurren dos minutos, nada ha cambiado. Sólo él es distinto.

–*Flash-back:* Recuerda que durante cinco meses consecutivos formó el potrero y aquel bananal.

–Vuelve a sus reflexiones. Le parece mentira que, con su experiencia, el machete haya resbalado de su mano.

–*Prolepsis:* El hombre piensa que pronto deberá cambiar el mango de su machete. Esta actitud responde al deseo de reafirmar su existencia.

–*Flash-back:* Recuerda que lleva diez años trabajando en el monte. Le resulta ilógico que el machete se le haya escapado de la mano.

–El hombre está muy cansado.

–Observa a su caballo y cómo éste no se atreve a avanzar al verlo tendido.

–*Prolepsis:* Piensa en su familia, que a las 11.45 horas bajará para llevarle el almuerzo.

–Escucha la voz de su hijo pequeño y se da cuenta de que su familia se aproxima.

–*Flash-back:* Recuerda cuántas veces ha vuelto a su casa, traspasando el potrero.

–Imagina su entorno, viaja con el pensamiento. Se produce la imagen: separación de espíritu y cuerpo, proyección-muerte.

–Se escucha la voz de su hijo. El caballo lo observa y cruza el alambrado, porque el hombre ha muerto.

*Fábula:*

–El potrero era un monte virgen antes de que el hombre llegara.

–El hombre lleva diez años trabajando.

–Vive junto a su familia (mujer y dos hijos) en una casa de techo rojo, que se ve desde el bananal.

–Él formó el potrero (en cinco meses), levantó el alambrado, hizo el bananal, plantó gramilla.

–El hombre trabaja todos los días limpiando su bananal.

–Aquel día está terminando de limpiar y decide descansar.

–Resbala, cae sobre su machete, comienza a morir.

–El hombre piensa en su situación y se resiste a aceptar su muerte inminente.

–Pasó un niño por el camino. Son las 11.30 horas.

–Reflexiona, recuerda su vida.

–Observa su entorno, piensa en su familia, que llegará a las 11.45 horas.

–Viaja con el pensamiento, se ve a sí mismo, descansando.

–Se aproxima su familia. El hombre muere: "Ante las voces que ya están próximas –¡Piapiá!– vuelve un largo, largo rato las orejas inmóviles al bulto: y tranquilizado al fin, se decide a pasar entre el poste y el hombre tendido –que ya ha descansado".

En todo cuento, las acciones avanzan, siguiendo principalmente cuatro *fases: exposición, progresión, crisis* y *desenlace.*

En este cuento la *exposición* muestra la situación que desencadena la muerte del protagonista. Un hombre está trabajando en su bananal. Decide descansar, al hacerlo resbala y cae sobre su machete. El hombre se da cuenta de que va a morir: "Apreció mentalmente la extensión y la trayectoria del machete dentro de su vientre, y adquirió, fría, matemática e inexorable, la seguridad de que acababa de llegar al término de su existencia". En esta primera *fase* nos enteramos del accidente y del destino del hombre. El saber que el hombre va a morir no le quita suspenso al relato.

Iniciamos una segunda *fase,* llamada *progresión.* El hombre comienza a morir. Los acontecimientos avanzan lentamente. Sentimos el calor, la agonía, el cansancio. Conocemos los pensamientos del protagonista, su resistencia a aceptar la muerte. Su familia se aproxima, él se encuentra muy cansado: "¡Qué pesadilla!... ¡Pero es uno de los tantos días, trivial como todos, claro está!"

Pasamos a una nueva fase de la acción: la *crisis.* El hombre en un esfuerzo postrero comienza a viajar con la imaginación. Se escucha la voz de su hijo. Llegamos al clímax.

El caballo pasa entre el poste y el hombre. Conocemos el *desenlace* de la obra: el hombre ha muerto. Este fin "esperado" se torna dramático. Sabemos que su familia se aproxima, podemos imaginar el desolador panorama que les espera.

El *tema* del cuento es la muerte. La maestría del autor no radica en la elección del asunto, sino en la forma de tratarlo. Anuncia en el título lo que acontecerá; a pesar de esto, el interés se mantiene por el modo como se va presentando la agonía.

El hombre cree dominar su mundo, doblegar a la naturaleza, moldearla a sus necesidades y basta un instante para que toda su fuerza y poderío desaparezcan, en una simple caída. Esta muerte nos lleva a reflexionar sobre lo efímero de nuestra existencia: "Ha sido arrancado bruscamente, naturalmente, por obra de una cáscara lustrosa y un machete en el vientre".

En síntesis, lo patético de la historia no es el machete en el vientre, sino la conciencia que el hombre tiene de él. El hombre se convierte no sólo en protagonista, sino también en testigo de su muerte.

Evoca su vida. Sus recuerdos intentan reconstruir un pasado feliz: el inicio del día, la construcción del alambrado, la formación del potrero, del bananal, todas las inolvidables tardes en que ha vuelto a su casa después de la jornada de trabajo. El hombre se rebela ante lo absurdo. Está muriendo en el entorno que él ha construido; nada le es ajeno, ni la tierra en que está agonizando, y, sin embargo, todo en esa circunstancia se le revela extraño.

*Actividades*

1. Busca pinturas, láminas o fotografías que se relacionen con el cuento.

2. Cita fragmentos del cuento donde se analice la temática de la muerte. Coméntalos con tus compañeros y con tu profesor. Luego escribe tu opinión sobre el tema.

3. Una persona comienza a relatar la historia del hombre y los demás empiezan a representarla.

4. Realiza una mesa redonda, con ayuda de tu profesor, sobre el tema de la muerte. Intenta incorporar personas que puedan dar diversas opiniones. Por ejemplo, un sacerdote, un médico, un sicólogo, etc.

5. Cuenta qué crees que pensarías tú si estuvieras en el lugar del protagonista.

6. Inventa un epitafio para el hombre.

7. Escribe un diario de vida con los últimos tres días del hombre.

8. Identifica los casos de hiato y diptongo en las siguientes palabras:

tenían – extensión – actual – nuestra – púas – mortuorias – cauteloso – reojo – asoleado – también – trayectoria –muerte – ahora – prohibido – media – gruesos.

9. La terminación del superlativo, cualidad del adjetivo calificativo en su grado máximo, se escribe con s.

Ejemplo: animado – animadísimo.

Busca cinco adjetivos calificativos en el cuento y agrégales el grado superlativo.

10. Analiza el uso de interrogación y exclamación en el siguiente fragmento. Lee en voz alta para captar sus diferentes intencionalidades:

"El hombre resiste –¡es tan imprevisto ese horror! Y piensa: Es una pesadilla; ¡esto es! ¿Qué ha cambiado? Nada. Y mira: ¿No es acaso ese bananal su bananal?"

11. Clasifica las siguientes oraciones en proposicional o bimembre y aproposicional o unimembre:

–Él sabe muy bien cómo se maneja un machete de monte.

–¡Piapiá!

–¿Aún?...

–El hombre y su machete acababan de limpiar la quinta calle del bananal.

–Cruzó el alambrado para tenderse un rato en la gramilla.

–La muerte.

–¡Sin duda!

–Apreció mentalmente la extensión y la trayectoria del machete dentro de su vientre.

–Muerto.

12. Busca el antónimo de las siguientes palabras destacadas:

–El hombre intentó *mover* la cabeza

–Es la ley *fatal*, *aceptada* y *prevista*.

–Es éste el *consuelo*, el *placer* y la razón de nuestras divagaciones mortuorias.

13. Busca el significado de las siguientes palabras:

Chircas, malvas, gramilla, trivial, inexorable, prevista, umbral, pedregullo, postrera, expiración, mortuorias, costear, trasuda, cataclismo, ineludible, raleado, capuera, azada, lustrosa, trascendencia, comisura.

14. Caracteriza física, psicológica y socialmente al protagonista.

15. Clasifica la perspectiva narrativa y justifica tu elección con fragmentos del cuento.

16. Identifica las figuras literarias presentes en las siguientes citas:

"Todo, todo exactamente como siempre, el sol de fuego, el aire vibrante y solitario."

"El sol cae a plomo, y la calma es muy grande, pues ni un fleco de los bananos se mueve."

# Manuel Rojas

*(Chileno, 1896-1973)*

"Era un hombre sencillo, comprensivo, penetrante..."

Su vida fue aventura, deseo de aprender, necesidad de subsistir.

Nació en Buenos Aires en 1896, se trasladó a Chile, haciendo a pie el camino que lo separaba de su verdadera patria, en la cual dejaría de existir el año 1973.

Trabajó desde niño para ayudar a su madre viuda. Dejó la escuela a la cual nunca se adaptó su espíritu libertario. Fue aprendiz de sastre, talabartero, electricista; trabajó de mozo y mensajero; actuó de consueta (actividad que le permitió conocer todo Chile); fue pintor de brocha gorda, peón, cuidador de falucho, estibador, linotipista, bibliotecario, Presidente de la Sociedad de Escritores de Chile, triunfador de concursos literarios, profesor de literatura en universidades de Estados Unidos, Premio Nacional de Literatura en 1957.

Escritor admirado y reconocido, Manuel Rojas es ante todo un ejemplo de vida. Supo aunar en su creación la lectura y la vida y llegó a erigirse como uno de nuestros mejores narradores, convirtiéndose en un ejemplo de fe, lucha y esperanza.

Obras: *Hombres del sur* (1926); *Tonada del transeúnte* (1927); *El delincuente* (1929); *Lanchas en la bahía* (1932); *Travesía* (1934); *La Ciudad de los Césares* (1936); *De la poesía a la revolución* (1938); *El bonete maulino* (1934); *Hijo de ladrón* (1951); *Imágenes de infancia* (1955); *Mejor que el vino* (1958); *El vaso de leche y sus mejores cuentos* (1959); *Punta de rieles* (1960); *El árbol siempre verde* (1960); *Antología autobiográfica* (1962); *Sombras contra el muro* (1964); *A pie por Chile* (1967); *Viaje al país de los profetas* (1969); *La oscura vida radiante* (1971).

# EL HOMBRE DE LA ROSA

En el atardecer de un día de noviembre, hace ya algunos años, llegó a Osorno, en misión catequista, una partida de misioneros capuchinos.

Eran seis frailes barbudos, de complexión recia, rostros enérgicos y ademanes desenvueltos.

La vida errante que llevaban les había diferenciado profundamente de los individuos de las demás órdenes religiosas. En contacto continuo con la naturaleza bravía de las regiones australes, hechos sus cuerpos a las largas marchas a través de las selvas, expuestos siempre a los ramalazos del viento y de la lluvia, estos seis frailes barbudos habían perdido ese aire de religiosidad inmóvil que tienen aquellos que viven confinados en el calorcillo de los patios del convento.

Reunidos casualmente en Valdivia, llegados unos de las reducciones indígenas de Angol, otros de La Imperial, otros de Temuco, hicieron juntos el viaje hasta Osorno, ciudad en que realizarían una semana misionera y desde la cual se repartirían luego, por los caminos de la selva, en cumplimiento de su misión evangelizadora.

Eran seis frailes de una pieza y con toda la barba.

Se destacaba entre ellos el padre Espinoza, veterano ya en las misiones del sur, hombre de unos cuarenta y cinco años, alto de estatura, vigoroso, con empaque de hombre de acción y aire de bondad y de finura.

Era uno de esos frailes que encantan a algunas mujeres y que gustan a todos los hombres.

Tenía una sobria cabeza de renegrido cabello, que de negro azuleaba a veces como el plumaje de los tordos. La cara de tez morena pálida, cubierta profusamente por la barba y el bigote capuchinos. La nariz un poco ancha; la boca, fresca; los ojos, negros y brillantes. A través del hábito se adivinaba el cuerpo ágil y musculoso.

La vida del padre Espinoza era tan interesante como la de cualquier hombre de acción, como la de un conquistador, como la de un capitán de bandidos, como la de un guerrillero. Y un poco de cada uno de ellos parecía tener en su apostura, y no le hubiera sentado mal la armadura del primero, la manta y el caballo fino de boca del segundo y el traje liviano y las armas rápidas del último. Pero pareciendo y pudiendo ser cada uno de aquellos hombres, era otro muy distinto. Era un hombre sencillo, comprensivo, penetrante, con una fe ardiente y dinámica y un espíritu religioso, entusiasta y acogedor, despojado de toda cosa frívola.

Quince años llevaba recorriendo la región araucana. Los indios que habían sido catequizados por el padre Espinoza, adorábanlo. Sonreía al preguntar y al responder. Parecía estar siempre hablando con almas sencillas como la suya.

Tal era el padre Espinoza, fraile misionero, hombre de una pieza y con toda la barba.

Al día siguiente, anunciada ya la semana misionera, una heterogénea muchedumbre de catecúmenos llenó el primer patio del convento en que ella se realizaría.

Chilotes, trabajadores del campo y de las industrias, indios, vagabundos, madereros, se fueron amontonando allí lentamente, en busca y espera de la palabra evangelizadora de los misioneros. Pobremente vestidos, la mayor parte descalzos o calzados con groseras ojotas, algunos llevando nada más que camiseta y pantalón, sucias y destrozadas ambas prendas por el largo uso, rostros embrutecidos por el alcohol y la ignorancia; toda una fauna informe, salida de los bosques cercanos y de los tugurios de la ciudad.

Los misioneros estaban ya acostumbrados a ese auditorio y no ignoraban que muchos de aquellos infelices venían, más que en busca de una verdad, en demanda de su generosidad, pues los religiosos, durante las misiones, acostumbraban repartir comida y ropa a los más hambrientos y desharrapados.

Todo el día trabajaron los capuchinos. Debajo de los árboles o en los rincones del patio, se apilaban los hombres, contestando como podían, o como se les enseñaba, las preguntas inocentes del catecismo:

–¿Dónde está Dios?

–En el cielo, en la tierra y en todo lugar –respondían en coro con una monotonía desesperante.

El padre Espinoza, que era el que mejor dominaba la lengua indígena, catequizaba a los indios, tarea terrible, capaz de cansar a cualquier varón fuerte, pues el indio, además de presentar grandes dificultades intelectuales, tiene también dificultades en el lenguaje.

Pero todo fue marchando, y al cabo de tres días, terminado el aprendizaje de las nociones elementales de la doctrina cristiana, empezaron las confesiones. Con esto disminuyó considerablemente el grupo de catecúmenos, especialmente el de aquellos que ya habían conseguido ropas o alimentos; pero el número siguió siendo crecido.

A las nueve de la mañana, día de sol fuerte y cielo claro, empezó el desfile de los penitentes, desde el patio a los confesionarios, en hilera acompasada y silenciosa.

Despachada ya la mayor parte de los fieles, mediada la tarde, el padre Espinoza, en un momento de descanso, dio unas vueltas alrededor del patio. Y volvía ya hacia su puesto, cuando un hombre lo detuvo, diciéndole:

–Padre, yo quisiera confesarme con usted.

–¿Conmigo, especialmente? –preguntó el religioso.

–Sí, con usted.

–¿Y por qué?

–No sé; tal vez porque usted es el de más edad entre los misioneros, y quizá, por eso mismo, el más bondadoso.

El padre Espinoza sonrió:

–Bueno, hijo; si así lo deseas y así lo crees, que así sea. Vamos.

Hizo pasar adelante al hombre y él fue detrás observándolo.

El padre Espinoza no se había fijado antes en él. Era un hombre alto, esbelto, nervioso en sus movimientos, moreno, de corta barba negra terminada en punta; los ojos negros y ardientes, la nariz fina, los labios delgados. Hablaba correctamente y sus ropas eran limpias. Llevaba ojotas, como los demás, pero sus pies desnudos aparecían cuidados.

Llegados al confesionario, el hombre se arrodilló ante el padre Espinoza y le dijo:

–Le he pedido que me confiese, porque estoy seguro de que usted es un hombre de mucha sabiduría y de gran entendimiento. Yo no tengo grandes pecados; relativamente, soy un hombre de conciencia limpia. Pero tengo en mi corazón y en mi cabeza un secreto terrible, un peso enorme. Necesito que me ayude a deshacerme de él. Créame lo que voy a confiarle y, por favor, se lo pido, no se ría de mí. Varias veces he querido confesarme con otros misioneros, pero apenas han oído mis primeras palabras, me han rechazado como a un loco y se han reído de mí. He sufrido mucho a causa de esto. Ésta será la última tentativa que hago. Si me pasa lo mismo ahora, me convenceré de que no tengo salvación y me abandonaré a mi infierno.

El individuo aquel hablaba nerviosamente, pero con seguridad. Pocas veces el padre Espinoza había oído hablar así a un hombre. La mayoría de los que confesaba en las misiones eran seres vulgares, groseros, sin relieve alguno, que solamente le comunicaban pecados generales, comunes, de grosería o de liviandad, sin interés espiritual. Contestó, poniéndose en el tono con que le hablaban:

–Dime lo que tengas necesidad de decir y yo haré todo lo posible por ayudarte. Confía en mí como en un hermano.

El hombre demoró algunos instantes en empezar su confesión; parecía temer el confesar el gran secreto que decía tener en su corazón.

–Habla.

El hombre palideció y miró fijamente al padre Espinoza. En la oscuridad, sus ojos negros brillaban como los de un preso o como los de un loco. Por fin, bajando la cabeza, dijo, entre dientes:

–Yo he practicado y conozco los secretos de la magia negra.

Al oír estas extraordinarias palabras, el padre Espinoza hizo un movimiento de sorpresa, mirando con curiosidad y temor al hombre; pero el hombre había levantado la cabeza y espiaba la cara del religioso, buscando en ella la impresión que sus palabras producirían. La sorpresa del misionero duró un brevísimo tiempo. Tranquilizóse en seguida. No era la primera vez que escuchaba palabras iguales o parecidas. En ese tiempo los llanos de Osorno y las islas chilotas estaban plagadas de brujos, "machis" y hechiceros. Contestó:

–Hijo mío: no es raro que los sacerdotes que le han oído a usted lo que acaba de decir, lo hayan tomado por loco y rehusado oír más. Nuestra religión condena terminantemente tales prácticas y tales creencias. Yo, como sacerdote, debo decirle que eso es grave pecado; pero como hombre, le digo que eso es una estupidez y una mentira. No existe tal magia negra, ni hay hombre alguno que pueda hacer algo que esté fuera de las leyes de la naturaleza y de la voluntad divina. Muchos hombres me han confesado lo mismo, pero, emplazados para que pusieran en evidencia su ciencia oculta, resultaron impostores groseros e ignorantes. Solamente un desequilibrado o un tonto pueden creer en semejante patraña.

El discurso era fuerte y hubiera bastado para que cualquier hombre de buena fe desistiera de sus propósitos; pero, con gran sorpresa del padre Espinoza, su discurso animó al hombre, que se puso de pie y exclamó con voz contenida:

–¡Yo sólo pido a usted me permita demostrarle lo que le confieso! Demostrándoselo, usted se convencerá y yo estaré salvado. Si yo le propusiera hacer una prueba, ¿aceptaría usted, padre? –preguntó el hombre.

–Sé que perdería mi tiempo lamentablemente, pero aceptaría.

–Muy bien –dijo el hombre–. ¿Qué quiere usted que haga?

–Hijo mío, yo ignoro tus habilidades mágicas. Propón tú.

El hombre guardó silencio un momento, reflexionando. Luego dijo:

–Pídame usted que le traiga algo que esté lejos, tan lejos que sea imposible ir allá y volver en el plazo de un día o dos. Yo se lo traeré en una hora, sin moverme de aquí.

Una gran sonrisa de incredulidad dilató la fresca boca del fraile Espinoza:

–Déjame pensarlo –respondió– y Dios me perdone el pecado y la tontería que cometo.

El religioso tardó mucho rato en encontrar lo que se le proponía. No era tarea fácil hallarlo. Primeramente ubicó en Santiago la residencia de lo que iba a pedir y luego se dio a elegir. Muchas cosas acudieron a su recuerdo y a su imaginación, pero ninguna le servía para el caso. Unas eran demasiado comunes, y otras pueriles y otras muy escondidas, y era necesario elegir una que, siendo casi única, fuera asequible. Recordó y recorrió su lejano convento; anduvo por sus patios, por sus celdas, por sus corredores y por su jardín, pero no encontró nada especial. Pasó después a recordar lugares que conocía en Santiago. ¿Qué pediría? Y cuando, ya cansado, iba a decidirse por cualquiera de los objetos entrevistos por sus recuerdos, brotó en su memoria, como una flor que era, fresca, pura, con un hermoso color rojo, una rosa del jardín de las monjas Claras.

Una vez, hacía poco tiempo, en un rincón de ese jardín vio un rosal que florecía en rosas de un color único. En ninguna parte había vuelto a ver rosas iguales o parecidas, y no era fácil que las hubiera en Osorno. Además, el hombre aseguraba que traería lo que él pidiera, sin moverse de allí. Tanto daba pedirle una cosa como otra. De todos modos no traería nada.

–Mira –dijo al fin–, en el jardín del convento de las monjas Claras de Santiago, plantado junto a la muralla que da hacia la Alameda, hay un rosal que da rosas de un color granate muy lindo. Es el único rosal de esa especie que hay allí... Una de esas rosas es lo que quiero que me traigas.

El supuesto hechicero no hizo objeción alguna, ni por el sitio en que se hallaba la rosa ni por la distancia a que se encontraba. Preguntó únicamente:

–Encaramándose por la muralla, ¿es fácil tomarla?

–Muy fácil. Estiras el brazo y ya la tienes.

–Muy bien. Ahora, dígame, ¿hay en este convento una pieza que tenga una sola puerta?

–Hay muchas.

–Lléveme usted a alguna de ellas.

El padre Espinoza se levantó de su asiento. Sonreía. La aventura era ahora un juego extraño y divertido y, en cierto modo, le recordaba los de su infancia. Salió acompañado del hombre y lo guió hacia el segundo patio, en el cual estaban las celdas de los religiosos. Lo llevó a la que él ocupaba. Era una habitación de medianas proporciones, de sólidas paredes; tenía una ventana y una puerta. La ventana estaba asegurada con una gruesa reja de fierro forjado y la puerta tenía una cerradura muy firme. Allí había un lecho, una mesa grande, dos imágenes y un crucifijo, ropas y objetos.

–Entra.

Entró el hombre. Se movía con confianza y desenvoltura; parecía muy seguro de sí mismo.

–¿Te sirve esta pieza?

–Me sirve.

–Tú dirás lo que hay que hacer.

–En primer lugar, ¿qué hora es?

–Las tres y media.

El hombre meditó un instante, y dijo luego:

–Me ha pedido usted que le traiga una rosa del jardín de las monjas Claras de Santiago y yo se la voy a traer en el plazo de una hora. Para ello es necesario que yo me quede solo aquí y que usted se vaya, cerrando la puerta con llave y llevándose la llave. No vuelva hasta dentro de una hora justa. A las cuatro y media, cuando usted abra la puerta, yo le entregaré lo que me ha pedido.

El fraile Espinoza asintió en silencio, moviendo la cabeza. Empezaba a preocuparse. El juego iba tornándose interesante y misterioso, y la seguridad con que hablaba y obraba aquel hombre le comunicaba a él cierta intimidación respetuosa.

Antes de salir, dio una mirada detenida por toda la pieza. Cerrando con llave la puerta, era difícil salir de allí. Y aunque aquel hombre lograra salir, ¿qué conseguiría con ello? No se puede hacer, artificialmente, una rosa cuyo color y forma no se han visto nunca. Y, por otra parte, él rondaría toda esa hora por los alrededores de su celda. Cualquier superchería era imposible.

El hombre, de pie ante la puerta, sonriendo, esperaba que el religioso se retirara.

Salió el padre Espinoza, echó llave a la puerta, se aseguró que quedaba bien cerrada y guardándose la llave en su bolsillo echó a andar tranquilamente.

Dio una vuelta alrededor del patio, y otra, y otra. Empezaron a transcurrir lentamente los minutos, muy lentamente; nunca habían transcurrido tan lentos los sesenta minutos de una hora. Al principio, el padre Espinoza estaba tranquilo. No sucedería nada. Pasado el tiempo que el hombre fijara como plazo, él abriría la puerta y lo encontraría tal como lo dejara. No tendría en sus manos ni la rosa pedida ni nada que se le pareciera. Pretendería disculparse con algún pretexto fútil, y él, le largaría un breve discurso, y el asunto terminaría ahí. Estaba seguro. Pero, mientras paseaba, se le ocurrió preguntarse:

–¿Qué estaría haciendo?

La pregunta lo sobresaltó. Algo estaría haciendo el hombre, algo intentaría. Pero, ¿qué? La inquietud aumentó. ¿Y si el hombre lo hubiera engañado y fueran otras sus intenciones? Interrumpió su paseo y durante un momento procuró sacar algo en limpio, recordando al hombre y sus palabras. ¿Si se tratara de un loco? Atravesó lentamente el patio y paseó a lo largo del corredor en que estaba su celda. Pasó varias veces delante de aquella puerta cerrada. ¿Qué estaría haciendo el hombre? En una de sus pasadas se detuvo ante la puerta. No se oía nada, ni voces, ni pasos, ningún ruido. Se acercó a la puerta y pegó su oído a la cerradura. El mismo silencio. Prosiguió sus paseos, pero a poco su inquietud y su sobresalto aumentaban. Sus paseos se fueron acortando y, al final, apenas llegaban a cinco y seis pasos de distancia de la puerta. Por fin, se inmovilizó ante ella. Se sentía incapaz de alejarse de allí. Era necesario que esa tensión nerviosa terminara pronto. Si el hombre no hablaba, ni se quejaba, ni andaba, era señal de que no hacía nada y no haciendo nada, nada conseguiría. Se decidió a abrir antes de la hora estipulada. Sorprendería al hombre y su triunfo sería completo. Miró su reloj: faltaban aún veinticinco minutos para las cuatro y media. Antes de abrir pegó nuevamente su oído a la cerradura: ni un rumor. Buscó la llave en sus bolsillos y colocándola en la cerradura la hizo girar sin ruido. La puerta se abrió silenciosamente.

Miró el fraile Espinoza hacia adentro y vio que el hombre no estaba sentado ni estaba de pie: estaba extendido sobre la mesa, con los pies hacia la puerta, inmóvil.

Esa actitud inesperada lo sorprendió. ¿Qué haría el hombre en aquella posición? Avanzó un paso, mirando con curiosidad y temor el cuerpo extendido sobre la mesa. Ni un movimiento. Seguramente su presencia no habría sido advertida; tal vez el hombre dormía; quizá estaba muerto... Avanzó otro paso y entonces vio algo que lo dejó tan inmóvil como aquel cuerpo. El hombre no tenía cabeza.

Pálido, sintiéndose invadido por la angustia, lleno de un sudor helado todo el cuerpo, el padre Espinoza miraba, miraba sin comprender. Hizo un esfuerzo y avanzó hasta colocarse frente a la parte superior del cuerpo del individuo. Miró hacia el suelo, buscando en él la desaparecida cabeza, pero en el suelo no había nada ni siquiera una mancha de sangre. Se acercó al cercenado cuello. Estaba cortado sin esfuerzo, sin desgarraduras, finamente. Se veían las arterias y los músculos, palpitantes, rojos; los huesos blancos, limpios; la sangre bullía allí, caliente y roja, sin derramarse, retenida por una fuerza desconocida.

El padre Espinoza se irguió. Dio una rápida ojeada a su alrededor, buscando un rastro, un indicio, algo que le dejara adivinar lo que había sucedido. Pero la habitación estaba como él la había dejado al salir; todo en el mismo orden, nada revuelto y nada manchado de sangre.

Miró su reloj. Faltaban solamente diez minutos para las cuatro y media. Era necesario salir. Pero, antes de hacerlo, juzgó que era indispensable dejar allí un testimonio de su estada. Pero, ¿qué? Tuvo una idea; buscó entre sus ropas y sacó de entre ellas un alfiler grande, de cabeza negra, y al pasar junto al cuerpo para dirigirse hacia la puerta lo hundió íntegro en la planta de uno de los pies del hombre.

Luego cerró la puerta con llave y se alejó.

Durante los diez minutos siguientes el religioso se paseó nerviosamente a lo largo del corredor, intranquilo, sobresaltado; no quería dar cuenta a nadie de lo sucedido; esperaría los diez minutos y, transcurridos éstos, entraría de nuevo a la celda y si el hombre permanecía en el mismo estado comunicaría a los demás religiosos lo sucedido.

¿Estaría él soñando o se encontraría bajo el influjo de una alucinación o de una poderosa sugestión?

No, no lo estaba. Lo que había acontecido hasta ese momento era sencillo: un hombre se había suicidado de una manera misteriosa... Sí, ¿pero dónde estaba la cabeza del individuo? Esta pregunta lo desconcertó. ¿Y por qué no había manchas de sangre? Prefirió no pensar más en ello; después se aclararía todo.

Las cuatro y media. Esperó aún cinco minutos más. Quería darle tiempo al hombre. ¿Pero tiempo para qué, si estaba muerto? No lo sabía bien, pero en esos momentos casi deseaba que aquel hombre le demostrara su poder mágico. De otra manera, sería tan estúpido, tan triste todo lo que había pasado...

Cuando el fraile Espinoza abrió la puerta, el hombre no estaba ya extendido sobre la mesa, decapitado, como estaba quince minutos antes. Parado frente a él, tranquilo, con una fina sonrisa en los labios, le tendía, abierta, la morena mano derecha. En la palma de ella, como una pequeña y suave llama, había una fresca rosa: la rosa del jardín de las monjas Claras.

–¿Es ésta la rosa que usted me pidió?

El padre Espinoza no contestó; miraba al hombre. Éste estaba un poco pálido y demacrado. Alrededor de su cuello se veía una línea roja, como una cicatriz reciente.

–Sin duda el Señor quiere hoy jugar con su siervo..., pensó.

Estiró la mano y cogió la rosa. Era una de las mismas que él viera florecer en el pequeño jardín del convento santiaguino. El mismo color, la misma forma, el mismo perfume.

Salieron de la celda, silenciosos, el hombre y el religioso. Éste llevaba la rosa apretada en su mano y sentía en la piel la frescura de los pétalos rojos. Estaba recién cortada. Para el fraile habían terminado los pensamientos, las dudas y la angustia. Sólo una gran impresión lo dominaba y un sentimiento de confusión y de desaliento inundaba su corazón.

De pronto advirtió que el hombre cojeaba.

–¿Por qué cojeas? –le preguntó.

–La rosa estaba apartada de la muralla. Para tomarla, tuve que afirmar un pie en el rosal y, al hacerlo, una espina me hirió el talón.

El fraile Espinoza lanzó una exclamación de triunfo:

–¡Ah! ¡Todo es una ilusión! Tú no has ido al jardín de las monjas Claras ni te has pinchado el pie con una espina. Ese dolor que sientes es el producido por un alfiler que yo te clavé en el pie. Levántalo.

El hombre levantó el pie y el sacerdote, tomando de la cabeza el alfiler, se lo sacó.

–¿No ves? No hay ni espina ni rosal. ¡Todo ha sido una ilusión!

Pero el hombre contestó:

–Y la rosa que lleva usted en la mano, ¿también es ilusión?

Tres días después, terminada la semana misionera, los frailes capuchinos abandonaron Osorno. Seguían su ruta a través de las selvas. Se separaron, abrazándose y besándose. Cada uno tomó por su camino. El padre Espinoza volvería hacia Valdivia. Pero ya no iba solo. A su lado, montado en un caballo oscuro, silencioso y pálido, iba un hombre alto, nervioso, de ojos negros y brillantes.

Era el hombre de la rosa.

## ANÁLISIS

Una lección de escritura abierta, respetuosa, afectuosa con la realidad. Abierta a lo común y a lo insólito. Respetuosa de las personas y sus perspectivas. Afectuosa con las personas y las cosas de este mundo y del otro.

El cuento se escribe desde una *perspectiva omnisciente*. Es una perspectiva limpia donde se ven las realidades inmediatas y el horizonte: "En el atardecer de un día de noviembre, hace ya algunos años, llegó a Osorno, en misión catequista, una partida de misioneros capuchinos".

Esta *perspectiva omnisciente* transita sin problemas por el espacio y por el tiempo. El espacio inmediato y el remoto. Por el tiempo presente, histórico, y por otro tiempo, transhistórico. Por este mundo y por un mundo "otro". Sin alarde, esta perspectiva nos revela un país en que coexisten varios países, distintos, distantes, extraños, contradictorios... y complementarios.

Encarnan estos mundos diferentes los frailes capuchinos y sus feligreses. El choque y el encuentro final serán protagonizados por el padre Espinoza y el hombre de la rosa.

A esta perspectiva omnisciente, el padre Espinoza se revela como "... de unos cuarenta y cinco años, alto de estatura, vigoroso, con empaque de hombre de acción y aire de bondad y de finura" ... "La nariz un poco ancha; la boca, fresca; los ojos, negros y brillantes. A través del hábito se adivinaba el cuerpo ágil y musculoso".

Desde esta *perspectiva,* la figura de este personaje se asocia con el perfil del conquistador (y su armadura), del bandido (con manta y caballo fino de boca), del guerrillero (y el traje liviano y las armas rápidas).

En síntesis, "un hombre sencillo, comprensivo, penetrante, con una fe ardiente y dinámica y un espíritu religioso, entusiasta y acogedor, despojado de toda cosa frívola"... "Tal era el padre Espinoza, fraile misionero, hombre de una pieza y con toda la barba."

Esta perspectiva avanza dando cuenta del personaje en su dimensión material, psíquica y espiritual.

Otro tanto, en forma más sucinta, lo hace con el hombre de la rosa: "Era un hombre alto, esbelto, nervioso en sus movimientos, moreno, de corta barba negra terminada en punta; los ojos negros y ardientes, la nariz fina, los labios delgados"... "En la oscuridad, sus ojos negros brillaban como los de un preso o como los de un loco. Por fin, bajando la cabeza, dijo, entre dientes:

–Yo he practicado y conozco los secretos de la magia negra."

La *perspectiva omnisciente* acorta esta revelación, informando: "En ese tiempo los llanos de Osorno y las islas chilotas estaban plagadas de brujos, *machis* y hechiceros." Todo suena familiar, parece natural.

También como que la *perspectiva omnisciente* se encarna en las palabras del sacerdote, que dice: "Yo, como sacerdote, debo decirle que eso es grave pecado; pero, como hombre, le digo que eso es una estupidez y una mentira"... "Solamente un desequilibrado o un tonto puede creer semejante patraña."

Por la boca del sacerdote habla la cultura occidental. Pero el hombre de la rosa hace presente la posibilidad de otra perspectiva. Y el narrador le abre espacio con la fluidez y la transparencia con que ha operado desde el comienzo.

El conocedor de la magia negra dice:

"–Pídame usted que le traiga algo que esté lejos, tan lejos que sea imposible ir allá y volver en el plazo de un día o dos. Yo se lo traeré en una hora, sin moverme de aquí. (...)

–Me ha pedido usted que le traiga una rosa del jardín de las monjas Claras de Santiago y yo se la voy a traer en el plazo de una hora."

La *perspectiva omnisciente* encarnada en el fraile penetra en el misterio: "El hombre no tenía cabeza. (...) Se acercó al cercenado cuello. Estaba cortado sin esfuerzo, sin desgarraduras, finamente. Se veían las arterias y los músculos, palpitantes, rojos; los huesos blancos, limpios; la sangre bullía allí, caliente y roja, sin derramarse, retenida por una fuerza desconocida." La realidad tiene rincones donde pasan cosas de otro modo, de otro mundo. Chile es un país de rincones.

Pasada la hora "... casi deseaba que aquel hombre le demostrara su poder mágico. De otra manera, sería tan estúpido, tan triste todo lo que había pasado..." Lo que había pasado, lo que pasa cuando las cosas ocurren al parecer en un solo nivel y en una sola dirección y dimensión.

"–¿Es ésta la rosa que usted me pidió? (...) Estiró la mano y cogió la rosa. Era una de las mismas que él viera florecer en el pequeño jardín del convento santiaguino. El mismo color, la misma forma, el mismo perfume."

La *perspectiva omnisciente* con una triple *enumeración* encabezada por una triple *anáfora* confirma la evidencia de la "realidad otra".

"Salieron de la celda, silenciosos, el hombre y el religioso. Éste llevaba la rosa apretada en su mano y sentía en la piel la frescura de los pétalos rojos. Estaba recién cortada. Para el fraile habían terminado los pensamientos, las dudas y la angustia".

La *perspectiva omnisciente* lo sabe todo. Esto y lo otro. Algunas cosas las revela. Otras no. El cuento termina con esta perspectiva de media distancia:

"El padre Espinoza volvería hacia Valdivia. Pero ya no iba solo. A su lado, montado en un caballo oscuro, silencioso y pálido, iba un hombre alto, nervioso, de ojos negros y brillantes.

Era el hombre de la rosa."

*Actividades*

1. Realiza un *collage* con una acción del cuento.
2. Analiza un valor humano presente en el cuento.
3. Escribe y luego actúa una pequeña obra teatral relacionada con el cuento. Incorpora elementos de escenografía.
4. Cuenten en grupo experiencias "mágicas o fantásticas" que conozcan.
5. Realiza con tus compañeros una encuesta acerca de la magia que demuestra el hombre de la rosa.
6. Escribe una leyenda donde expliques el origen del poder del hombre de la rosa.
7. Redacta un ensayo cuyo tema sea "lo insólito" y relaciónalo con el realismo mágico.
8. Agrupa las palabras del siguiente fragmento del cuento en agudas, graves y esdrújulas.

"El padre Espinoza no contestó; miraba al hombre. Éste estaba un poco pálido y demacrado. Alrededor de su cuello se veía una línea roja, como una cicatriz reciente".

9. Explica el uso de *z,* en las siguientes palabras:

Naturaleza – ramalazo – realizar – corazón – estupidez.

10. Analiza en el siguiente fragmento el uso del punto seguido, punto aparte y punto final. Determina sus diferencias.

"El padre Espinoza volvería hacia Valdivia. Pero ya no iba solo. A su lado, montado en un caballo oscuro, silencioso y pálido, iba un hombre alto, nervioso, de ojos negros y brillantes.

Era el hombre de la rosa."

11. Clasifica el género, el número y el artículo en las siguientes palabras destacadas. Ejemplo:

*El* padre Espinoza: masculino, singular, artículo definido o determinado.

–En el atardecer de *un* día de noviembre.

–Eran seis frailes de *una* pieza.

–*Los* ojos, negros y brillantes.

–*La* nariz un poco ancha.

–Empezaron *las* confesiones.

–Dio *unas* vueltas alrededor del patio.

12. Identifica el sujeto en las siguientes oraciones.

–Esa actitud inesperada lo sorprendió.

–Faltaban solamente diez minutos para las cuatro y media.

–El padre Espinoza sonrió.

–Tú dirás lo que hay que hacer.

–El supuesto hechicero no hizo objeción alguna.

–Allí había un lecho.

13. Busca el significado de las siguientes palabras y un sinónimo cuando sea pertinente:

Complexión, bravía, veterano, empaque, heterogénea, catecúmenos, tugurios, patraña, incredulidad, pueril, asequible, fútil, cercenado, indicio, alucinación.

14. Determina las fases de la acción en el cuento leído.

15. Describe el ambiente sicológico del cuento.

16. ¿Qué figura literaria está presente en las siguientes citas?

"Tenía una sobria cabeza de renegrido cabello, que de negro azuleaba a veces como el plumaje de los tordos".

"Confía en mí como en un hermano".

"...pero apenas han oído mis primeras palabras, me han rechazado como a un loco".

# Salvador Salazar Arrué

*(Salvadoreño, 1899-1975)*

"–¡Vaya; pa que no se diga que ya nuai botijas en las aradas!..."

Este narrador, poeta, profesor, periodista y pintor, nació en Sonsonate (El Salvador) en 1899 y murió en San Salvador en 1975. Es más conocido por el seudónimo de "Salarrué".

Procedía de familia acomodada y estudió arte en El Salvador y en los Estados Unidos.

Ejerció el cargo de director del diario *La Patria* de San Salvador, de la revista *Amatl*, y también como agregado cultural en Washington.

Es un literato ampliamente conocido dentro y fuera de su país, tanto por su fecundidad como por su calidad.

Se le recuerda principalmente por sus breves y originales relatos, denominados por él mismo como "cuenteretes". En ellos describe las costumbres y la psicología del campesino.

Obras: *El Cristo negro* (1926); *El señor de la burbuja* (1927); *O'Yarkandal* (1929); *Remontando el Uluán* (1930); *Cuentos de barro* (1933); *Eso y más* (1940); *Cuentos de cipotes* (1945); *Trasmallo* (1954); *La espada y otras narraciones* (1960); *Ingrimo* (1970); *Sagitario en Géminis* (1970); *La sed de Sling Bader* (1971); *Catleya Luna* (1974); *Conjeturas en la penumbra* (1974).

# LA BOTIJA

José Pashaca era un cuerpo tirado en un cuero; el cuero era un cuero tirado en un rancho; el rancho era un rancho tirado en una ladera.

Petrona Pulunto era la *nana* de aquella boca:

–¡Hijo: abrí los ojos; ya hasta la color de que los tenés se me olvidó!

José Pashaca pujaba, y a lo mucho encogía la pata.

–¿Qué quiere, mama?

–¡Ques nicesario que tioficiés en algo, ya tás indio entero!

–¡Agüén!. . .

Algo se regeneró el holgazán: de dormir pasó a estar triste, bostezando.

Un día entró Ulogio Isho con un *cuenterete*. Era un como sapo de piedra, que se había hallado arando. Tenía el sapo un collar de pelotitas y tres hoyos: uno en la boca y dos en los ojos.

–¡Qué feyo este baboso! –llegó diciendo. Se carcajeaba–; ¡meramente el tuerto Cande!...

Y lo dejó, para que jugaran los *cipotes* de la María Elena.

Pero a los dos días llegó el anciano Bashuto, y en viendo el sapo dijo:

–Estas cositas son obra denantes, de los agüelos de nosotros. En las aradas se incuentran catizumbadas. También se hallan botijas llenas dioro.

José Pashaca se dignó arrugar el pellejo que tenía entre los ojos, allí donde los demás llevan la frente.

–¿Cómo es eso, ño Bashuto?

Bashuto se prendió al puro con toda la fuerza de sus arrugas, y se fue en humo. *Enseguiditas* contó mil hallazgos de *botijas,* todos los cuales "él bía presenciado con estos ojos". Cuando se fue, se fue sin darse cuenta de que, de lo dicho, dejaba las cáscaras.

Como en esos días se murió la Petrona Pulunto, José levantó la boca y la llevó caminando por la vecindad, sin resultados nutritivos. Comió *majonchos* robados, y se decidió a buscar *botijas.* Para ello, se puso a la cola de un arado y empujó. Tras la reja iban arando sus ojos. Y así fue como José Pashaca llegó a ser el indio más holgazán y a la vez el más laborioso de todos los del lugar. Trabajaba sin trabajar –por lo menos sin darse cuenta– y trabajaba tanto, que las horas coloradas le hallaban siempre sudoroso, con la mano en la mancera y los ojos en el surco.

Piojo de las lomas, caspeaba ávido la tierra negra, siempre mirando al suelo con tanta atención, que parecía como si entre los borbollos de tierra hubiera ido dejando sembrada el alma. Pa que nacieran perezas; porque eso sí, Pashaca se sabía el indio más sin oficio del valle. Él no trabajaba. Él buscaba las *botijas* llenas de *bambas* doradas, que hacen "¡plocosh!" cuando la reja las topa, y vomitan plata y oro, como el agua del charco cuando el sol comienza a *ispiar* detrás de lo del *ductor* Martínez, que son los llanos que topan al cielo.

Tan grande como él se hacía, así se hacía de grande su obsesión. La ambición, más que el hambre, le había parado del cuero y lo había empujado a las laderas de los cerros; donde aró, aró, desde la gritería de los gallos que se tragan las estrellas hasta la hora en que el *guas* ronco y lúgubre, parado en los ganchos de la ceiba, *puya* el silencio con sus gritos destemplados.

Pashaca se peleaba las lomas. El patrón, que se asombraba del milagro que hiciera de José el más laborioso colono, dábale con gusto y sin medida luengas tierras, que el indio soñador de tesoros rascaba con el ojo presto a dar aviso en el corazón, para que éste cayera sobre la *botija* como un trapo de amor y ocultamiento. Y Pashaca sembraba, por fuerza, porque el patrón exigía los censos. Por fuerza también tenía Pashaca que cosechar, y por fuerza que cobrar el grano abundante de su cosecha, cuyo producto iba guardando despreocupadamente en un hoyo del rancho, por *siacaso*.

Ninguno de los colonos se sentía con hígado suficiente para llevar a cabo una labor como la de José. "Es el hombre de jierro –decían–; ende que le entró asaber qué, se propuso hacer pisto. Ya tendrá una buena huaca..."

Pero José Pashaca no se daba cuenta de que, en realidad, tenía *huaca*. Lo que él buscaba sin desmayo era una *botija* y siendo como se decía que las enterraban en las aradas, allí por fuerza la *incontraría* tarde o temprano.

Se había hecho no sólo trabajador, al ver de los vecinos, sino hasta generoso. En cuanto tenía un día de no poder arar, por no tener tierra cedida, les ayudaba a los otros, les mandaba descansar y se quedaba arando por ellos. Y lo hacía bien: los surcos de su reja iban siempre pegaditos, *chachados y projundos*, que daban gusto.

–¡Onde te metés, babosada! –pensaba el indio sin darse por vencido–: Y tei de topar, aunque no querrás, así mihaya de tronchar en los surcos.

Y así fue; no lo del encuentro, sino lo de la tronchada.

Un día, a la hora en que se *verdeya* el cielo y en que los ríos se hacen rayas blancas en los llanos, José Pashaca se dio cuenta de que ya no había *botijas*. Se lo avisó un desmayo con calentura; se dobló en la mancera; los bueyes se fueron parando, como si la reja se hubiera enredado en el raizal de la sombra. Los hallaron negros, contra el cielo claro, "*voltiando a ver al indio embruecado, y resollando el viento oscuro*".

José Pashaca se puso malo. No quiso que naide lo cuidara. "*Dende que bía finado la Petrona, vivía íngrimo en su rancho.*"

Una noche, haciendo *juerzas de tripas*, salió sigiloso llevando, en un cántaro viejo, su *buaca*. Se agachaba detrás de los *matochos* cuando otiba ruidos, y así se estuvo haciendo un hoyo con la *cuma*.

Se quejaba a ratos, rendido, pero luego seguía con brío su tarea. Metió en el hoyo el cántaro, lo tapó bien tapado, borró todo rastro de tierra removida; y alzando sus brazos de bejuco hacia las estrellas; dejó ir liadas en un suspiro estas palabras:

–¡Vaya; pa que no se diga que ya nuai botijas en las aradas!...

## ANÁLISIS

El modo de narrar de Salarrué encarna una visión de mundo, la del mundo indígena, donde todo está vinculado: el hombre con el hombre y con la familia; la familia con la comunidad, la comunidad de hoy con la del pasado y con la del porvenir; lo del hombre sin bienes con lo del hombre rico; lo humano con lo divino, lo profano con lo sagrado, lo de la superficie con lo del subsuelo.

Universo con *estructura metonímica*. El todo está en la parte. El sentido del todo hay que desenterrarlo en la parte. La parte es parte de una realidad mayor, realidad que a su vez forma parte de otra mayor hasta límites que se nos pierden de vista.

Así cuando se ara, se ara para sembrar y cosechar mirando para adelante pero también mirando para atrás. Para adelante el indio espera cosechar el grano que siembra. Para atrás lo alienta la esperanza de "cosechar" lo que guardaron los antepasados en el seno materno de la tierra.

El cuento nos "desentierra" además el sentido del ocio y del trabajo del indio que no es el mismo que el del europeo. Éste condiciona su trabajo a una meta determinada. El indio asume el ocio o el trabajo de acuerdo a otros parámetros, con motivaciones provenientes de otra visión de mundo, de otra escala de valores.

Nos sitúa, además, ante una cultura que está parada en un suelo que desconoce, que posee tesoros de los antepasados, que no sabe leer en cuanto codificadores de su cultura. Eso de una parte, pero de otra señala también que hay en la conciencia indígena una experiencia ancestral de pertenencia a una gran familia, la familia de los antepasados que por diversos medios se hace presente a sus descendientes.

Algunos ejemplos del texto clarificarán lo dicho anteriormente.

"José Pashaca era un cuerpo tirado en un cuero; el cuero era un cuero tirado en un rancho; el rancho era un rancho tirado en una ladera."

Cuerpo, cuero, rancho, todos están "tirados". Están eslabonados desde lo más interno a lo más externo. Pero a la postre todo es una cosa "tirada" en otra cosa. Es, también, el paso regresivo de lo determinado a lo indeterminado. Desde lo más pequeño a lo más grande todo está afectado por esta carencia de algo superior a la materia.

El *narrador* trabaja con minuciosidad el discurso para dar cuenta de un universo "pintoresco". Es una escritura hecha desde una perspectiva atenta a registrar la especificidad "curiosa", insólita de esta realidad. Como tal, "talla" como un objeto artesanal el acontecimiento sin ahondar inicialmente en su sentido.

En esta línea de registro del acontecer y su ambiente están estos primores estilísticos: "... se dignó arrugar el pellejo que tenía entre los ojos, allí donde los demás llevan la frente". "Bashuto se prendió al puro con toda la fuerza de sus arrugas, y se fue en humo."

En este modo de escritura la persona está manipulada para transformarse en un objeto que produzca hilaridad.

Esta escritura tampoco registra la atmósfera mítica de las culturas indígenas mesoamericanas. El acontecer se reduce a anécdota. El meollo se escapa. Así se relata el cambio de comportamiento del *protagonista:* "... se decidió a buscar botijas. Para ello, se puso a la cola de un arado y empujó. Tras la reja iban arando sus ojos. Y así fue como José Pashaca llegó a ser el indio más holgazán y a la vez el más laborioso de todos los del lugar. Trabajaba sin trabajar..."

Es una escritura que busca la ingeniosidad y la ingeniosidad la busca como contraste o *paradoja*. Por esta vía, sin querer queriendo, en este engolosinamiento en el contorno del acontecer deja aprisionados el ritmo y sentido más profundo. Algo de esto ocurre en estas líneas: "La ambición, más que el hambre, le había parado del cuero y lo había empujado a las laderas de los cerros; donde aró, aró, desde la gritería de los gallos que se tragan las estrellas..."

Esta "ambición", sin embargo, es bien especial, y de esta particularidad da cuenta el párrafo final: "... y alzando sus brazos de bejuco hacia las estrellas, dejó ir liadas en un suspiro estas palabras:

–¡Vaya; pa que no se diga que ya nuai botijas en las aradas!..."

El vivir a expensas de los demás se ha transformado en vivir para los demás; el vivir buscando tesoros, en vivir creando tesoros. La erosión de la cultura indígena y su desvanecimiento, en este personaje, se ha traducido en revitalización.

De ser el fin se convierte en comienzo, en reinstauración de la riqueza de las entrañas de la madre tierra. Su ingenuidad no es estulticia sino sabiduría. Gozó del tener convirtiéndolo en valer, en ser.

*Actividades*

1. Escribe un listado con las "botijas de oro" que busca el hombre de hoy día. Analiza dichas actividades.
2. Realiza con tus compañeros y con ayuda de tu profesor una reflexión sobre el mensaje del cuento.
3. Crea un comercial donde ofrezcan "botijas de oro". Represéntalo con tus compañeros.
4. Intenta hablar como los personajes del relato. Incorpora términos inventados por ti.
5. Cuenta el cuento a un compañero, luego éste lo contará a otro y así sucesivamente. Graben las diferentes versiones. Encuentren las diferencias y semejanzas y analicen el fenómeno de la oralidad.

6. Inventa una fábula cuya moraleja sea "No ser ambicioso, pero sí trabajador".

7. Escribe y lee un discurso dirigido al país sobre los beneficios del trabajo.

8. Clasifica las siguientes palabras en agudas, graves, esdrújulas y sobreesdrújulas:

Cuero, holgazán, collar, dábale, cántaro, tapó, botija, trabajador, tendrá, tenía, cuenterete, ávido, lúgubre, bejuco, dígaselo.

9. Observa las siguientes palabras y, con ayuda de tu profesor, deduce las reglas correspondientes a las terminaciones ción–sión.

derivado — derivación
comunicador — comunicación
atento — atención
lector — lección
extenso — extensión
emisor — emisión.

10. Analiza con ayuda de tu profesor el uso de punto coma (;) en las siguientes oraciones:

"José Pashaca era un cuerpo tirado en un cuero; el cuero era un cuero tirado en un rancho; el rancho era un rancho tirado en una ladera".

11. Clasifica en las siguientes oraciones los adjetivos destacados:

–*Estas* cositas son obras denantes, de los agüelos de nosotros.

–Tenía el sapo un collar de pelotitas y *tres* hoyos; uno en la boca y dos en los ojos.

–José Pashaca llegó a ser el indio más *holgazán* y a la vez el más laborioso.

–Piojo de las lomas, caspeaba ávido la tierra *negra*.

–Alzando *sus* brazos de bejuco hacia las estrellas.

12. Identifica el núcleo del sujeto en las siguientes oraciones:

–Los surcos de su reja iban siempre pegaditos.

–Bashuto se prendió al puro con toda la fuerza de sus arrugas.

–Un día entró Ulogio Isho con un cuenterete.

–En las aradas se incuentran catizumbadas.

–Él buscaba las botijas llenas de bambas doradas.

13. Busca el significado de las siguientes palabras: holgazán, botija, cipote, raizal, baboso, ávido, pellejo, bamba, catizumbadas.

14. Cita fragmentos donde se evidencie el estilo del narrador.

15. Ubica en el texto isocronías (escena dialogada o dramática).

16. Reconoce las figuras literarias presentes en las siguientes citas:

"Y así fue como José Pashaca llegó a ser el indio más holgazán y a la vez el más laborioso de todos los del lugar".

"...donde aró, aró desde la gritería de los gallos que se tragan las estrellas".

# Arturo Uslar Pietri

*(Venezolano, 1906-    )*

"Ya el tiempo no era un desesperado aguardar, sino una cosa ligera, como fuente que brotaba."

Nació en 1906, en Caracas, quien llegaría a ser un ejemplo del desarrollo de las capacidades humanas. Nombraremos las actividades realizadas por este venezolano que se ha preocupado profundamente por su país, hasta el punto de sufrir incluso el encarcelamiento y el exilio por defender sus ideas: cuentista, poeta, novelista, dramaturgo, ensayista, profesor, abogado, articulista, historiador de la cultura, crítico, investigador, diplomático, político, doctor en ciencias políticas, Ministro de Educación (redactor de la ley educacional conocida como "Ley Uslar Pietri"), Ministro de Hacienda, Secretario de la Presidencia de la República, Ministro de Relaciones Exteriores, senador de la República, individuo de número de las Academias de Ciencias Políticas y Sociales, Venezolana de la Lengua, Nacional de la Historia, candidato a la Presidencia de la República, fundador del partido político Frente Nacional Democrático, profesor fundador de la facultad de Economía de la Universidad Central.

Ha obtenido diversos premios literarios, incluyendo el Premio Nacional de Literatura en dos oportunidades (1954 y 1982). Es, además, el primer teórico del "realismo mágico", con un ensayo que incluyó en su libro *Letras y hombres de Venezuela* (1948).

Obras: *Barrabás y otros relatos* (1928); *Las lanzas coloradas* (1931); *Red* (1936); *El camino de El Dorado* (1947); *Apuntes para retratos* (1952); *Breve historia de la novela hispanoamericana* (1955); *Valores humanos* (1955); *Chúo Gil y las tejedoras* (1960); *El laberinto de fortuna (Un retrato en la geografía)* (1962); *Estación de máscaras* (1964); *Hacia el humanismo democrático* (1965); *Pasos y pasajeros* (1966); *Manoa* (1972); *Oficio de difuntos* (1976); *Fantasmas de dos mundos* (1979); *Los ganadores* (1980), *La isla de Robinson* (1981); *Fachas, fechas y fichas* (1982); *Godos, insurgentes y visionarios* (1986); *El hombre que voy siendo* (1986); *La visita en el tiempo* (1990); *Cuentos de la realidad mágica* (1992); *Cuarenta cuentos* (1994).

# LA LLUVIA

La luz de la luna entraba por todas las rendijas del rancho y el ruido del viento en el maizal, compacto y menudo como de lluvia. En la sombra acuchillada de láminas claras oscilaba el chinchorro lento del viejo zambo; acompasadamente chirriaba la atadura de la cuerda sobre la madera y se oía la respiración corta y silbosa de la mujer que estaba echada sobre el catre del rincón.

La patinadura del aire sobre las hojas secas del maíz y de los árboles sonaba cada vez más a lluvia, poniendo un eco húmedo en el ambiente terroso y sólido.

Se oía en lo hondo, como bajo piedra, el latido de la sangre girando ansiosamente.

La mujer sudorosa e insomne prestó oído, entreabrió los ojos, trató de adivinar por las rayas luminosas, atisbó un momento, miró el chinchorro, quieto y pesado, y llamó con voz agria:

–¡Jesuso!

Calmó la voz esperando respuesta y entretanto comentó alzadamente.

–Duerme como un palo. Para nada sirve. Si vive como si estuviera muerto...

El dormido salió a la vida con la llamada, desperezóse y preguntó con voz cansina:

–¿Qué pasa, Usebia? ¿Qué escándalo es ése? ¡Ni de noche puedes dejar en paz a la gente!

–Cállate, Jesuso, y oye.

–¿Qué?

–Está lloviendo, lloviendo, ¡Jesuso!, y ni lo oyes. ¡Hasta sordo te has puesto!

Con esfuerzo, malhumorado, el viejo se incorporó, corrió a la puerta, la abrió violentamente y recibió en la cara y en el cuerpo medio desnudo la plateadura de la luna llena y el soplo ardiente que subía por la ladera del conuco agitando las sombras. Lucían todas las estrellas.

Alargó hacia la intemperie la mano abierta, sin sentir una gota.

Dejó caer la mano, aflojó los músculos y recostóse en el marco de la puerta.

–¿Ves, vieja loca, tu aguacero? Ganas de trabajar la paciencia. –La mujer quedóse con los ojos fijos mirando la gran claridad que entraba por la puerta. Una rápida gota de sudor le cosquilleó en la mejilla. El vaho cálido inundaba el recinto.

Jesús tornó a cerrar, caminó suavemente hasta el chinchorro, estiróse y se volvió a oír el crujido de la madera en la mecida. Una mano colgaba hasta el suelo resbalando sobre la tierra del piso.

La tierra estaba seca como una piel áspera, seca hasta en el extremo de las raíces, ya como huesos; se sentía flotar sobre ella una fiebre de sed, un jadeo, que torturaba los hombres.

Las nubes oscuras como sombra de árbol se habían ido, se habían perdido tras de los últimos cerros más altos, se habían ido como el sueño, como el reposo. El día era ardiente. La noche era ardiente, encendida de luces fijas y metálicas.

En los cerros y los valles pelados, llenos de grietas como bocas, los hombres se consumían torpes, obsesionados por el fantasma pulido del agua, mirando señales, escudriñando anuncios...

Sobre los valles y los cerros, en cada rancho, pasaban y repasaban las mismas palabras.

–Cantó el carrao. Va a llover...

–¡No lloverá!

Se la daban como santo y seña de la angustia.

–Ventó del abra. Va a llover...

–¡No lloverá!

Se lo repetían como para fortalecerse en la espera infinita.

–Se callaron las chicharras. Va a llover...

–¡No lloverá!

La luz y el sol eran de cal cegadora y asfixiante.

–Si no llueve, Jesuso, ¿qué va a pasar?

Miró la sombra que se agitaba fatigosa sobre el catre, comprendió su intención de multiplicar el sufrimiento con las palabras, quiso hablar, pero la somnolencia le tenía tomado el cuerpo, cerró los ojos y se sintió entrando en el sueño.

Con la primera luz de la mañana Jesuso salió al conuco y comenzó a recorrerlo a paso lento. Bajo sus pies descalzos crujían las hojas vidriosas. Miraba a ambos lados las largas hileras del maizal amarillas y tostadas, los escasos árboles desnudos y en lo alto de la colina, verde profundo, un cactus vertical. A ratos deteníase, tomaba en la mano una vaina de frijol reseca y triturábala con lentitud haciendo saltar por entre los dedos los granos rugosos y malogrados.

A medida que subía el sol, la sensación y el color de aridez eran mayores. No se veía nube en el cielo de un azul de llama. Jesuso, como todos los días iba, sin objeto, porque la siembra estaba ya perdida, recorriendo las veredas del conuco, en parte por inconsciente costumbre, en parte por descansar de la hostil murmuración de Usebia.

Todo lo que se dominaba del paisaje, desde la colina, era una sola variedad de amarillo sediento sobre valles estrechos y cerros calvos, en cuyo flanco una mancha de polvo calcáreo señalaba el camino.

No se observaba ningún movimiento de vida, el viento quieto, la luz fulgurante. Apenas la sombra si se iba empequeñeciendo. Parecía aguardarse un incendio.

Jesuso marchaba despacio, deteniéndose a ratos como un animal amaestrado, la vista sobre el suelo, y a ratos conversando consigo mismo.

–¡Bendito y alabado! ¿Qué va a ser de la pobre gente con esta sequía? Este año ni una gota de agua y el pasado fue un inviernazo que se pasó de aguado, llovió más de la cuenta, creció el río, acabó con las vegas, se llevó el puente... Está visto que no hay manera... Si llueve, porque llueve... Si no llueve, porque no llueve...

Pasaba del monólogo a un silencio desierto y a la marcha perezosa; la mirada por tierra, cuando sin ver sintió algo inusitado en el fondo de la vereda, y alzó los ojos.

Era el cuerpo de un niño. Delgado, menudo, de espaldas, en cuclillas, fijo y abstraído mirando hacia el suelo.

Jesuso avanzó sin ruido, y sin que el muchacho lo advirtiera, vino a colocársele por detrás, dominando con su estatura lo que hacía. Corría por tierra culebreando un delgado hilo de orina, achatado y turbio de polvo en el extremo, que arrastraba algunas pajas mínimas. En ese instante, de entre sus dedos mugrientos, el niño dejaba caer una hormiga.

–Y se rompió la represa... y ha venido la corriente... bruum... bruuuum... bruuuuuum... y la gente corriendo... y se llevó la hacienda de tío sapo... y después el hato de tía tara... y todos los palos grandes... zaaaas... bruuuuum... y ahora tía hormiga metida en esa aguazón...

Sintió la mirada, volvióse bruscamente, miró con susto la cara rugosa del viejo y se alzó entre colérico y vergonzoso.

Era fino, elástico, las extremidades largas y perfectas, el pecho angosto, por entre el dril pardo la piel dorada y sucia, la cabeza inteligente, móviles los ojos, la nariz vibrante y aguda, la boca femenina. Lo cubría un viejo sombrero de fieltro, ya humano de uso, plegado sobre las orejas como bicornio, que contribuía a darle expresión de roedor, de pequeño animal inquieto y ágil.

Jesuso terminó de examinarlo en silencio y sonrió.

–¿De dónde sales, muchacho?

–De por ahí...

–¿De dónde?

–De por ahí...

Y extendió con vaguedad la mano sobre los campos que se alcanzaban.

–¿Y qué vienes haciendo?

–Caminando.

La impresión de la respuesta dábale cierto tono autoritario y alto, que extrañó al hombre.

–¿Cómo te llamas?

–Como me puso el cura.

Jesuso arrugó el gesto, desagradado por la actitud terca y huraña.

El niño pareció advertirlo y compensó las palabras con una expresión confiada y familiar.

–No seas malcriado –comenzó el viejo, pero desarmado por la gracia bajó a un tono más íntimo–. ¿Por qué no contestas?

–¿Para qué pregunta? –replicó con candor extraordinario.

–Tú escondes algo. O te has ido de casa de tu taita.

–No, señor.

Preguntaba casi sin curiosidad, monótonamente, como jugando un juego.

–O has echado alguna lavativa.

–No, señor.

–O te han botado por maluco.

–No, señor.

Jesuso se rascó la cabeza y agregó con sorna:

–O te empezaron a comer las patas y te fuistes, ¿ah, vagabundito?

El muchacho no respondió, se puso a mecerse sobre los pies, los brazos a la espalda, chasqueando la lengua contra el paladar...

–¿Y para dónde vas ahora?

–Para ninguna parte.

–¿Y qué estás haciendo?

–Lo que usted ve.

–¡Buena cochinada!

El viejo Jesuso no halló más que decir; quedaron callados frente a frente, sin que ninguno de los dos se atreviese a mirarse a los ojos. Al rato, molesto por aquel silencio y aquella quietud que no hallaba cómo romper, empezó a caminar lentamente como un animal enorme y torpe, casi como si quisiera imitar el paso de un animal fantástico, advirtió que lo estaba haciendo y lo ruborizó pensar que pudiera hacerlo para divertir al niño.

–¿Vienes? –le preguntó simplemente. Calladamente el muchacho se vino siguiéndolo.

En llegando a la puerta del rancho halló a Usebia atareada encendiendo fuego. Soplaba con fuerza sobre un montoncito de maderas de cajón de papeles amarillos.

–Usebia, mira –llamó con timidez–. Mira lo que ha llegado.

–Ujú –gruñó sin tornarse, y continuó soplando.

El viejo tomó al niño y lo colocó ante sí, como presentándolo, las dos manos oscuras y gruesas sobre los hombros finos.

–¡Mira, pues!

Giró agria y brusca y quedó frente al grupo, viendo con esfuerzo por los ojos llorosos de humo.

–¿Ah?

Una vaga dulzura le suavizó lentamente la expresión.

–Ajá. ¿Quién es?

Ya respondía con sonrisa a la sonrisa del niño.

–¿Quién eres?

–Pierdes tu tiempo en preguntarle, porque este sinvergüenza no contesta.

Quedó un rato viéndolo, respirando su aire, sonriéndole, pareciendo comprender algo que escapaba a Jesuso. Luego muy despacio se fue a un rincón, hurgó en el fondo de una bolsa de tela roja y sacó una galleta amarilla, pulida como metal de dura y vieja. La dio al niño y mientras éste mascaba con dificultad la tiesa pasta, continuó contemplándolos, a él y al viejo alternativamente, con aire de asombro, casi de angustia.

Parecía buscar dificultosamente un fino y perdido hilo de recuerdo.

–¿Te acuerdas, Jesuso, de Cacique? El pobre.

La imagen del viejo perro fiel desfiló por sus memorias. Una compungida emoción los acercaba.

–Ca-ci-que... –dijo el viejo como aprendiendo a deletrear.

El niño volvió la cabeza y lo miró con su mirada entera y pura. Miró a su mujer y sonrieron ambos tímidos y sorprendidos.

A medida que el día se hacía grande y profundo, la luz situaba la imagen del muchacho dentro del cuadro familiar y pequeño del rancho. El color de la piel enriquecía el tono moreno de la tierra pisada, y en los ojos la sombra fresca estaba viva y ardiente.

Poco a poco las cosas iban dejando sitio y organizándose para su presencia. Ya la mano corría fácil sobre la lustrosa madera de la mesa, el pie hallaba el desnivel del umbral, el cuerpo se amoldaba exacto al butaque de cuero y los movimientos cabían con gracia en el espacio que los esperaba.

Jesuso, entre alegre y nervioso, había salido de nuevo al campo y Usebia se atareaba, procurando evadirse de la soledad frente al ser nuevo. Removía la olla sobre el fuego, iba y venía buscando ingredientes para la comida, y a ratos, mientras le volvía la espalda, miraba de reojo al niño.

Desde donde lo vislumbraba quieto, con las manos entre las piernas, la cabeza doblada mirando los pies golpear el suelo, comenzó a llegarle un silbido menudo y libre que no recordaba música.

Al rato preguntó casi sin dirigirse a él:

–¿Quién es el grillo que chilla?

Creyó haber hablado muy suave, porque no recibió respuesta sino el silbido, ahora más alegre y parecido a la brusca exaltación del canto de los pájaros.

–¡Cacique! –insinuó casi con vergüenza–. ¡Cacique!

Mucho gozo le produjo al oír el ¡ah! del niño.

–¿Como que te está gustando el nombre?

Una pausa y añadió:

–Yo me llamo Usebia.

Oyó como un eco apagado:

–Velita de sebo...

Sonrió entre sorprendida y disgustada.

–¿Como que te gusta poner nombres?

–Usted fue quien me lo puso a mí.

–Verdad es.

Iba a preguntarle si estaba contento, pero la dura costra que la vida solitaria había acumulado sobre sus sentimientos le hacía difícil, casi dolorosa, la expresión.

Tornó a callar y a moverse mecánicamente en una imaginaria tarea, eludiendo los impulsos que la hacían comunicativa y abierta. El niño recomenzó el silbido.

La luz crecía, haciendo más pesado el silencio.

Hubiera querido comenzar a hablar disparatadamente de todo cuanto le pasaba por la cabeza, o huir a la soledad para hallarse de nuevo consigo misma.

Soportó callada aquel vértigo interior hasta el límite de la tortura, y cuando se sorprendió hablando ya no se sentía ella, sino algo que fluía como la sangre de una vena rota.

–Tú vas a ver cómo todo cambiará ahora, Cacique. Ya yo no podía aguantar más a Jesuso.

La visión del viejo oscuro, callado, seco, pasó entre las palabras. Le pareció que el muchacho había dicho "lechuzo", y sonrió con torpeza, no sabiendo si era la resonancia de sus propias palabras.

–...no sé cómo lo he aguantado toda la vida. Siempre ha sido malo y mentiroso. Sin ocuparse de mí...

El sabor de la vida amarga y dura se concentraba en el recuerdo de su hombre, cargándolo con las culpas que no podía aceptar.

–...ni el trabajo del campo lo sabe con tantos años. Otros hubieran salido de abajo y nosotros para atrás y para atrás. Y ahora este año, Cacique...

Se interrumpió suspirando y continuó con firmeza y la voz alzada, como si quisiera que la oyese alguien más lejos:

–...no ha venido el agua. El verano se ha quedado viejo quemándolo todo. ¡No ha caído ni una gota!

La voz cálida en el aire tórrido trajo un ansia de frescura imperiosa, una angustia de sed. El resplandor de la colina tostada, de las hojas secas, de la tierra agrietada, se hizo presente como otro cuerpo y alejó las demás preocupaciones.

Guardó silencio algún tiempo y luego concluyó con voz dolorosa:

–Cacique, coge esa lata y baja a la quebrada a buscar agua.

Miraba a Usebia atarearse en los preparativos del almuerzo y sentía un contento íntimo como si se preparara una ceremonia extraordinaria, como si acaso acabara de descubrir el carácter religioso del alimento.

Todas las cosas usuales se habían endomingado, se veían más hermosas, parecían vivir por primera vez.

–¿Está buena la comida, Usebia?

La respuesta fue tan extraordinaria como la pregunta.

–Está buena, viejo.

El niño estaba afuera, pero su presencia llegaba hasta ellos de un modo imperceptible y eficaz.

La imagen del pequeño rostro, agudo y huroneante, les provocaba asociaciones de ideas nuevas. Pensaban con ternura en objetos que antes nunca habían tenido importancia. Alpargaticas menudas, pequeños caballos de madera, carritos hechos con ruedas de limón, metras de vidrio irisado.

El gozo mutuo y callado los unía y hermoseaba. También ambos parecían acabar de conocerse, y tener sueños para la vida venidera. Estaban hermosos hasta sus nombres y se complacían en decirlos solamente.

–Jesuso...

–Usebia...

Ya el tiempo no era un desesperado aguardar, sino una cosa ligera, como fuente que brotaba.

Cuando estuvo lista la mesa, el viejo se levantó, atravesó la puerta y fue a llamar al niño que jugaba afuera, echado por tierra, con una cerbatana.

–¡Cacique, vente a comer!

El niño no lo oía, abstraído en la contemplación del insecto verde y fino como el nervio de una hoja. Con los ojos pegados a la tierra, la veía crecida como si fuese de su mismo tamaño, como un gran animal terrible y monstruoso. La cerbatana se movía apenas, girando sobre sus patas, entre la voz del muchacho, que canturreaba interminablemente:

–"Cerbatana, cerbatanita, ¿de qué tamaño es tu conuquito?"

El insecto abría acompasadamente las dos patas delanteras, como mensurando vagamente. La cantinela continuaba acompañando el movimiento de la cerbatana, y el niño iba viendo cada vez más diferente e inesperado el aspecto de la bestezuela, hasta hacerla irreconocible en su imaginación.

–Cacique, vente a comer.

Volvió la cara y se alzó con fatiga, como si regresase de un largo viaje.

Penetró tras el viejo en el rancho lleno de humo. Usebia servía el almuerzo en platos de peltre desportillados. En el centro de la mesa se destacaba blanco el pan de maíz, frío y rugoso.

Contra su costumbre, que era estarse lo más del día vagando por las siembras y laderas, Jesuso regresó al rancho poco después del almuerzo.

Cuando volvía a las horas habituales, le era fácil repetir gestos consuetudinarios, decir las frases acostumbradas y hallar el sitio exacto en que su presencia aparecía como un fruto natural de la hora, pero aquel regreso inusitado representaba una tan formidable alteración del curso de su vida, que entró como avergonzado y comprendió que Usebia debía estar llena de sorpresa.

Sin mirarla de frente, se fue al chinchorro y echóse a lo largo. Oyó sin extrañeza cómo lo interpelaba.

–¡Ajá! ¿Como que arreció la flojera?

Buscó una excusa.

–¿Y qué voy a hacer en ese cerro achicharrado?

Al rato volvió la voz de Usebia, ya dócil y con más simpatía.

–¡Tanta falta que hace el agua! Si acabara de venir un buen aguacero, largo y bueno. ¡Santo Dios!

–La calor es mucha y el cielo purito. No se mira venir agua de ningún lado,

–Pero si lloviera se podría hacer otra siembra.

–Sí, se podría.

–Y daría más plata, porque se ha secado mucho conuco.

–Sí, daría.

–Con un solo aguacero se pondría verdecita toda esa falda.

–Y con la plata podríamos comprarnos un burro, que nos hace mucha falta. Y unos camisones para ti, Usebia.

La corriente de ternura brotó inesperadamente y con su milagro hizo sonreír a los viejos.

–Y para ti, Jesuso, una buena cobija que no se pase.

Y casi en coro los dos:

–¿Y para Cacique?

–Lo llevaremos al pueblo para que coja lo que le guste.

La luz que entraba por la puerta del rancho se iba haciendo tenue, difusa, oscura, como si la hora avanzase y sin embargo no parecía haber pasado tanto tiempo desde el almuerzo. Llegaba brisa teñida de humedad que hacía más grato el encierro de la habitación.

Todo el mediodía lo habían pasado casi en silencio, diciendo sólo, muy de tiempo en tiempo, algunas palabras vagas y banales por las que secretamente y de modo basto asomaba un estado de alma nuevo, una especie de calma, de paz, de cansancio feliz.

–Ahorita está oscuro –dijo Usebia, mirando el color ceniciento que llegaba a la puerta.

–Ahorita –asintió distraídamente el viejo.

E inesperadamente agregó:

–¿Y qué se ha hecho Cacique en toda la tarde?... Se habrá quedado por el conuco jugando con los animales que encuentra. Con cuanto bichito mira, se para y se pone a conversar como si fuera gente.

Y más luego añadió, después de haber dejado desfilar lentamente por su cabeza todas las imágenes que suscitaban sus palabras dichas:

–...Y lo voy a buscar, pues.

Alzóse del chinchorro con pereza y llegó a la puerta. Todo el amarillo de la colina seca se había tornado en violeta bajo la luz de gruesos nubarrones negros que cubrían el cielo. Una brisa aguda agitaba todas las hojas tostadas y chirriantes.

–Mira, Usebia –llamó.

Vino la vieja al umbral preguntando:

–¿Cacique está ahí?

–¡No! Mira el cielo negrito, negrito.

–Ya así se ha puesto otras veces y no ha sido agua.

Ella quedó enmarcada en la puerta y él salió al raso, hizo hueco con las manos y lanzó un grito lento y espacioso.

–¡Cacique! ¡Caciiiique!

La voz se fue con la brisa, mezclada al ruido de las hojas, al hervor de mil ruidos menudos que como burbujas rodeaban la colina.

Jesuso comenzó a andar por la vereda más ancha del conuco.

En la primera vuelta vio de reojo a Usebia, inmóvil, incrustada en las cuatro líneas del umbral, y la perdió siguiendo las sinuosidades.

Cruzaba un ruido de bestezuelas veloces por la hojarasca caída y se oía el escalofriante vuelo de las palomitas pardas sobre el ancho fondo del viento inmenso que pasaba pesadamente. Por la luz y el aire penetraba una frialdad de agua.

Sin sentirlo, estaba como ausente y metido por otras veredas más torcidas y complicadas que las del conuco, más oscuras y misteriosas. Caminaba mecánicamente, cambiando de velocidad, deteniéndose y hallándose de pronto parado en otro sitio.

Suavemente las cosas iban desdibujándose y haciéndose grises y mudables, como de sustancia de agua.

A ratos parecía a Jesuso ver el cuerpecito del niño en cuclillas entre los tallos del maíz, y llamaba rápido: –"Cacique" –pero pronto la brisa y la sombra deshacían el dibujo y formaban otra figura irreconocible.

Las nubes mucho más hondas y bajas aumentaban por segundos la oscuridad. Iba a media falda de la colina y ya los árboles altos parecían columnas de humo deshaciéndose en la atmósfera oscura.

Ya no se fiaba de los ojos, porque todas las formas eran sombras indistintas, sino que a ratos se paraba y prestaba oído a los rumores que pasaban.

–¡Cacique!

Hervía una sustancia de murmullos, de ecos, de crujidos, resonante y vasta.

Había distinguido clara su voz entre la zarabanda de ruidos menudos y dispersos que arrastraba el viento.

–Cerbatana, cerbatanita...

Era eso, eran sílabas, eran palabras de su voz infantil y no el eco de un guijarro que rodaba, y no algún canto de pájaro desfigurado en la distancia, ni siquiera su propio grito que regresaba decrecido y delgado.

–Cerbatana, cerbatanita...

Entre el humo vago que le llenaba la cabeza, una angustia fría y aguda lo hostigaba acelerando sus pasos y precipitándolo locamente. Entró en cuclillas, a ratos a cuatro patas, hurgando febril entre los tallos del maíz, y parándose continuamente a no oír sino su propia respiración, que resonaba grande.

Buscaba con rapidez que crecía vertiginosamente, con ansia incontenible, casi sintiéndose él mismo perdido y llamado.

–¡Cacique! ¡Caciiiiique! ¡Cacique!

Había ido dando vueltas entre gritos y jadeos, extraviado, y sólo ahora advertía que iba de nuevo subiendo la colina. Con la sombra, la velocidad de la sangre y la angustia de la búsqueda inútil, ya no reconocía en sí mismo al manso viejo habitual, sino un animal extraño presa de un impulso de la naturaleza. No veía en la colina los familiares contornos, sino como un crecimiento y una deformación inopinados que se la hacían ajena y poblada de ruidos y movimientos desconocidos.

El aire estaba espeso e irrespirable, el sudor le corría copioso y él giraba y corría siempre aguijoneado por la angustia.

–¡Cacique!

Ya era una cosa de vida o muerte hallar. Hallar algo desmedido que saldría de aquella áspera soledad torturadora. Su propio grito ronco parecía llamarlo hacia mil rumbos distintos, donde algo de la noche aplastante lo esperaba.

Era agonía. Era sed. Un olor de surco recién removido flotaba ahora a ras de tierra, olor de hoja tierna triturada.

Ya irreconocible, como las demás formas, el rostro del niño se deshacía en la tiniebla gruesa, ya no le miraba aspecto humano, a ratos no le recordaba la fisonomía, ni el timbre, no recordaba su silueta.

–¡Cacique!

Una gruesa gota fresca estalló sobre su frente sudorosa. Alzó la cara y otra le cayó sobre los labios partidos, y otras en las manos terrosas.

–¡Cacique!

Y otras frías en el pecho grasiento de sudor, y otras en los ojos turbios, que se empañaron.

–¡Cacique! ¡Cacique! ¡Cacique!...

Ya el contacto fresco le acariciaba toda la piel, le adhería las ropas, le corría por los miembros lasos.

Un gran ruido compacto se alzaba de toda la hojarasca y ahogaba su voz. Olía profundamente a raíz, a lombriz de tierra, a semilla germinada, a ese olor ensordecedor de la lluvia.

Ya no reconocía su propia voz, vuelta en el eco redondo de las gotas. Su boca callaba como saciada y parecía dormir marchando lentamente, apretado en la lluvia, calado en ella, acunado por su resonar profundo y vasto.

Ya no sabía si regresaba. Miraba como entre lágrimas al través de los claros flecos del agua la imagen oscura de Usebia, quieta entre la luz del umbral.

## ANÁLISIS

Los sentimientos humanos evolucionan o involucionan en el transcurso de la vida. Llega un momento en que la sequedad del alma se refleja en nuestro entorno. Somos capaces de transmitir no sólo lo que sentimos, sino también lo que dejamos de sentir:

"El sabor de la vida amarga y dura se concentraba en el recuerdo de su hombre, cargándolo con las culpas que no podía aceptar.

–... ni el trabajo del campo lo sabe con tantos años. Otros hubieran salido de abajo y nosotros para atrás y para atrás..."

En el cuento el *tema* es la sequía, la falta persistente de lluvia, de germinación, de vida. El conuco está seco: "La tierra estaba seca como una piel áspera, seca hasta el extremo de las raíces, ya como huesos; se sentía flotar sobre ella una fiebre de sed, un jadeo, que torturaba a los hombres".

Esta sequía es símbolo de una mayor: la relación de Usebia y Jesuso, que han perdido fe en la vida. Ellos son seres rutinarios, incapaces de crear el ámbito del diálogo. Establecen una relación donde prima la apatía, el tedio, la soledad y el silencio:

"–Duerme como un palo. Para nada sirve. Si vive como si estuviera muerto..."

El cuento se basa en el contraste sequía-lluvia. Los *personajes* también responden a esta antinomia. El matrimonio representa la sequía y el niño, la lluvia.

Ambos están secos hace muchos años. Ella confiesa que ya no lo soporta; él se refugia en el monte para huir de su voz. Cada día será igual o peor que el anterior:

"–Si no llueve, Jesuso, ¿qué va a pasar?

Miró la sombra que se agitaba fatigosa sobre el catre, comprendió su intención de multiplicar el sufrimiento con las palabras, quiso hablar, pero la somnolencia le tenía tomado el cuerpo, cerró los ojos y se sintió entrando en el sueño."

El niño va a revertir la sequía espiritual del matrimonio, reviviendo los signos de amor que ellos habían perdido. Se convierte en un elemento germinador: "El niño estaba afuera, pero su presencia llegaba hasta ellos de un modo imperceptible y eficaz."

El vacío que ellos viven en su vida cotidiana cambia con la presencia del niño. Con su llegada vuelven a soñar y a mirarse con cariño. El niño actúa como una fuerza revitalizadora: "Miraba a Usebia atarearse en los preparativos del almuerzo y sentía un contento íntimo como si se preparara una ceremonia extraordinaria, como si acaso acabara de descubrir el carácter religioso del alimento.

Todas las cosas usuales se habían endomingado..."

La aparición del niño es mágica, permite iluminar el mundo. Devuelve a los viejos el deseo de vivir, de jugar, de proyectarse, los torna creativos; intentan romper con la rutina y otorgar un nuevo sentido a sus acciones diarias. El niño es la vida emergente, el agua que acabará con la sequía.

Cuando Jesuso encuentra al niño, éste juega con su orina y relata una historia en la que el agua irrumpe como una gran fuerza: "–y se rompió la represa... y ha venido la corriente... bruuum... bruuuum... bruuuuuum... y la gente corriendo... y se llevó la hacienda de tío sapo... y después el hato de tía tara..." Estas palabras tienen un poder de encantamiento, porque anuncian la lluvia que acabará con la sequía. Además, el carácter lúdico del niño crea una nueva atmósfera en la vida de Usebia y Jesuso, ya que les devuelve la sonrisa y con ella el deseo de vivir.

En el cuento los *personajes* más importantes son: Usebia, Jesuso y el niño. Si bien se nombra a otras personas, sólo aparecen para reforzar la idea de desesperación que provoca la sequía: "En los cerros y los valles pelados, llenos de grietas como bocas, los hombres se consumían torpes, obsesionados por el fantasma pulido del agua, mirando señales, escudriñando anuncios..."

La *descripción física* del matrimonio es mínima. Ambos son viejos, están hastiados. De Jesuso conocemos su piel oscura y manos gruesas y de Usebia su voz agria. Sus *rasgos sicológicos* debemos inferirlos a partir de sus actos y diálogos: "–¿Ves, vieja loca, tu aguacero? Ganas de trabajar la paciencia. –La mujer quedóse con los ojos fijos mirando la gran claridad que entraba por la puerta. Una rápida gota de sudor le cosquilleó en la mejilla."

Antes de la aparición del niño Usebia es enojona, brusca y habladora; Jesuso es un hombre desanimado, malhumorado y paciente. Viven en un *ambiente* de tensión, desesperanza y frustración. El niño cambia el *perfil sicológico* de estos personajes, los dulcifica, los enternece: "El gozo mutuo y callado los unía y hermoseaba. También ambos parecían acabar de conocerse y tener sueños para la vida venidera. Estaban hermosos hasta sus nombres y se complacían en decirlos solamente."

En lo que respecta a la *proyección,* ambos están en el orden de los *personajes tipo.* Representan a un sector social y humano: al campesino. Es decir, personas que basan su vida en el trabajo de la tierra y que dependen del agua para subsistir: "–¡Bendito y alabado! ¿Qué va a ser de la pobre gente con esta sequía? Este año ni una gota de agua y el pasado fue un inviernazo que se pasó de aguado, llovió más de la cuenta..."

El niño, a diferencia de los otros *personajes,* aparece descrito *físicamente* con gran detalle: es delgado, menudo de espaldas, fino, elástico, de extremidades largas y perfectas, pecho angosto, piel dorada y sucia, cabeza inteligente, ojos móviles, nariz vibrante y aguda, boca femenina, hombros finos. También conocemos algunos *rasgos sicológicos:* es altivo, terco, tierno y juguetón. El niño es bautizado por los viejos con el nombre de Cacique, que fuera un viejo y querido perro. Pasa a ser parte de la familia, el hijo que nunca tuvieron, es decir, es un personaje símbolo de la fertilidad.

En síntesis, la presencia del niño provoca un cambio: el renacer de la vida en común de Usebia y Jesuso. Junto a este milagro, surge un segundo que lo complementa: la llegada de la lluvia. El niño no sólo hace germinar el amor, sino también la tierra.

Para el matrimonio el amor por el niño es tan importante que cuando empieza a llover apenas se dan cuenta. Porque la verdadera sequía no la alivia el agua, sino el amor. Junto al carácter mágico del relato (aparición–desaparición del niño, sequía–lluvia), el cuento refleja el milagro que producen los niños: "Un gran ruido compacto se alzaba de toda la hojarasca y ahogaba su voz. Olía profundamente a raíz, a lombriz de tierra, a semilla germinada, a ese olor ensordecedor de la lluvia."

*Actividades*

1. Imagina y dibuja una parte del cuento.
2. Señala fragmentos del texto que sean reveladores de las costumbres de Usebia y Jesuso.
3. Investiga qué es un guillatún y organiza con tus compañeros una pequeña representación.

   Relaciona la actividad con el cuento leído.
4. Realiza una entrevista imaginaria a Cacique. Comenta con tus compañeros el resultado de dicha actividad.
5. Relata a tus compañeros una aventura que hayas vivido un día de lluvia.
6. Escribe el retrato de Jesuso.
7. Inventa un cuento donde tú seas el protagonista y el tema sea un milagro.
8. Acentúa gráficamente el siguiente fragmento:

"Jesuso torno a cerrar, camino suavemente hasta el chinchorro, estirose y se volvio a oir el crujido de la madera en la mecida".

9. Completa con *b* o *v* y explica la regla correspondiente:

| | | | |
|---|---|---|---|
| entra__a | fie__re | ad__irtiera | __icornio |
| estu__iera | sua__e | o__sesionado | terri__le |
| am__iente | nue__o | in__iernazo | __utaque. |

10. Coloca los signos de puntuación al siguiente fragmento. Compara el resultado con el texto del cuento:

"El dormido salió a la vida con la llamada desperezóse y preguntó con voz cansina Qué pasa Usebia qué escándalo es ése Ni de noche puedes dejar en paz a la gente".

11. A partir de la lectura del cuento, busca con tus compañeros, sustantivos comunes, propios, concretos, abstractos, colectivos, simples, compuestos, primitivos y derivados.

12. Analiza en las siguientes oraciones los modificadores o determinantes del núcleo del sujeto:

–La luz de la luna entraba por todas las rendijas del rancho.

–La mujer sudorosa e insomne prestó oído.

–El viejo Jesuso no halló más que decir.

–Un gran ruido compacto se alzaba de toda la hojarasca.

13. Busca el significado de las siguientes palabras:

Rendijas, maizal, chinchorro, zambo, conuco, chicharra, fieltro, chasqueando, tórrido, cerbatana.

14. Indica la composición del cuento. Argumenta tu elección.

15. Describe el ambiente sociológico presente en el cuento.

16. Relaciona la columna A con la columna B.

| A | | B |
|---|---|---|
| a) Onomatopeya | __ | Vino la vieja al umbral preguntando. |
| b) Repetición | __ | La tierra estaba seca como una piel áspera. |
| c) Epíteto | __ | y ha venido la corriente... bruum... bruuuum. |
| d) Hipérbaton | __ | El viento quieto. |
| e) Comparación | __ | y llamó con voz agria. |
| f) Oxímoron | __ | Corría por tierra culebreando un delgado hilo de orina. |
| g) Sinestesia | __ | Está lloviendo, lloviendo. |

# Augusto Roa Bastos

*(Paraguayo, 1917- )*

"El destino de familias enteras quedó sellado por el color de la divisa partidaria del padre o de los hermanos."

En su obra se aprecia una visión crítica de la vida del Paraguay. Superando el regionalismo, Roa Bastos hace que los personajes y conflictos paraguayos sean portadores de una experiencia hispanoamericana y universal.

Nació en Asunción, en el año 1917, este poeta, cuentista, novelista, dramaturgo, ensayista, periodista, guionista cinematográfico, diplomático y profesor universitario. Ha debido vivir en el exilio gran parte de su vida, por oponerse al régimen político de su país.

Su obra refleja una constante preocupación por los postergados, incorporando además una perspectiva mítica, que para el autor reside en lo cotidiano, en lo históricamente concreto.

Muchas de sus obras han obtenido prestigiosos premios y han sido llevadas al cine. Ha vivido en Argentina y Francia, donde es profesor de la Universidad de Toulouse.

Obtuvo en 1995 el Premio Nacional de Literatura.

Obras: *El ruiseñor de la aurora y otros poemas* (1942); *El trueno entre las hojas* (1953); *El naran-*

*jal ardiente* (1960); *Hijo de hombre* (1960); *El baldío* (1966); *Los pies sobre el agua* (1967); *Madera quemada* (1967); *Moriencia* ((1969); *Cuerpo presente* (1971); *Yo, el Supremo* (1974); *Lucha hasta el alba* (1979); *Contar un cuento y otros relatos* (1984); *Vigilia del almirante* (1992); *El fiscal* (1993, completa la trilogía iniciada por *Hijo de hombre* y *Yo, el Supremo); Contravida* (1994); *Madama Sui* (1995).

# EL PRISIONERO

Los disparos se respondían intermitentemente en la fría noche invernal. Formaban una línea indecisa y fluctuante en torno al rancho; avanzaban y retrocedían, en medio de largas pausas ansiosas, como los hilos de una malla que se iba cerrando cautelosa, implacablemente, a lo largo de la selva y los esteros adyacentes a la costa del río. El eco de las detonaciones pasaba rebotando a través de delgadas capas acústicas que se rompían al darle paso. Por su duración podía calcularse el probable diámetro de la malla cazadora tomando el rancho como centro: eran tal vez unos cuatro o cinco kilómetros. Pero esa legua cuadrada de terreno rastreado y batido en todas direcciones, no tenía prácticamente límites. En todas partes estaba ocurriendo lo mismo.

El levantamiento popular se resistía a morir del todo. Ignoraba que se le había escamoteado el triunfo y seguía alentándose tercamente, con sus guerrillas deshilachadas, en las ciénagas, en los montes, en las aldeas arrasadas.

Más que durante los propios combates de la rebelión, al final de ellos el odio escribió sus páginas más atroces. La lucha de facciones degeneró en una bestial orgía de venganzas. El destino de familias enteras quedó sellado por el color de la divisa partidaria del padre o de los hermanos. El trágico turbión asoló cuanto pudo. Era el rito cíclico de la sangre. Las carnívoras divinidades aborígenes habían vuelto a mostrar entre el follaje sus ojos incendiados; los hombres se reflejaban en ellos como sombras de un viejo sueño elemental. Y las verdes quijadas de piedra trituraban esas sombras huyentes. Un grito en la noche, el inubicable chistido de una lechuza, el silbo de la serpiente en los pajonales, levantaban paredes que los fugitivos no se atrevían a franquear. Estaban encajonados en un embudo siniestro; atrapados entre las automáticas y los máuseres, a la espalda, y el terror flexible y alucinante acechando la fuga. Algunos preferían afrontar a las patrullas gubernistas. Y acabar de una vez.

El rancho incendiado, en medio del monte, era un escenario adecuado para las cosas que estaban pasando. Resultaba lúgubre y al mismo tiempo apacible; una decoración cuyo mayor efecto residía en su inocencia destruida a trechos. La violencia misma no había completado su obra; no había podido llegar a ciertos detalles demasiado pequeños en que el recuerdo de otro tiempo sobrevivía. Los horcones quemados apuntaban al cielo fijamente entre las derruidas paredes de adobe. La luna bruñía con un tinte de lechosa blancura los cuatro carbonizados muñones. Pero no era esto lo principal. En el reborde de una ventana, en el cupial del rancho, por ejemplo, persistía una diminuta maceta: una herrumbrada latita de conservas de donde emergía el tallo de un clavel reseco por las llamas; persistía allí a despecho de todo, como un recuerdo olvidado, ajena al cambio, rodeada por el brillo inmemorial de la luna, como la pupila de un niño ciego que ha mirado el crimen sin verlo.

El rancho estaba situado en un punto estratégico; dominaba la única salida de la zona de los esteros donde se estaban realizando las batidas y donde se suponía permanecía oculta la última montonera rebelde de esa región. El rancho era algo así como el centro de operaciones del destacamento gubernista.

Las armas y los cajones de proyectiles se hallaban amontonados en la que había sido la única habitación del rancho. Entre las armas y los cajones de proyectiles había un escaño viejo y astillado. Un soldado con la gorra puesta sobre los ojos dormía sobre él. Bajo la débil reverberación del fuego que, pese a la estricta prohibición del oficial, los soldados habían encendido para defenderse del frío, podían verse los bordes pulidos del escaño, alisados por años y años de fatigas y sudores rurales. En otra parte, un trozo de pared mostraba un solero casi intacto con una botella negra chorreada de sebo y una vela a medio consumir ajustada en el gollete. Detrás del rancho, recostado contra el tronco de un naranjo agrio, un pequeño arado de hierro, con la reja brillando opacamente, parecía esperar el tiro tempranero de la yunta en su balancín y en las manceras los puños rugosos y suaves que se estarían pudriendo ahora quién sabe en qué arruga perdida de la tierra. Por estas huellas venía el recuerdo de la vida. Los soldados nada significaban; las automáticas, los proyectiles, la violencia tampoco. Sólo esos detalles de una desvanecida ternura contaban.

A través de ellos se podía ver lo invisible; sentir en su trama secreta el pulso de lo permanente. Por entre las detonaciones, que parecían a su vez el eco de otras detonaciones más lejanas, el rancho se apuntalaba en sus pequeñas reliquias. La latita de conserva herrumbrada con su clavel reseco estaba unida a unas manos, a unos ojos. Y esas manos y esos ojos no se habían disuelto por completo; estaban allí, duraban como una emanación inextinguible del rancho, de la vida que había morado en él. El escaño viejo y lustroso, el arado inútil contra el naranjo, la botella negra con su cabo de vela y sus chorreaduras de sebo, impresionaban con un patetismo más intenso y natural que el conjunto del rancho semidestruido. Uno de los horcones quemados, al cual todavía se hallaba adherido un pedazo de viga, continuaba humeando tenuemente. La delgada columna de humo ganaba altura y luego se deshacía en azuladas y algodonosas guedejas que las ráfagas se disputaban. Era como la respiración de la madera dura que seguiría ardiendo por muchos días más. El corazón del timbó es testarudo al fuego, como es testarudo al hacha y al tiempo. Pero allí también estaba humeando y acabaría en una ceniza ligeramente rosada.

En el piso de tierra del rancho los otros tres soldados del retén se calentaban junto al raquítico fuego y luchaban contra el sueño con una charla incoherente y agujereada de bostezos y de irreprimibles cabeceos. Hacía tres noches que no dormían. El oficial que mandaba el destacamento había mantenido a sus hombres en constante acción desde el momento mismo de llegar.

Un silbido lejano que venía del monte los sobresaltó. Era el santo y seña convenido. Aferraron sus fusiles; dos de ellos apagaron el fuego rápidamente con las culatas de sus armas y el otro despertó al que dormía sobre el escaño, removiéndolo enérgicamente:

–¡Arriba..., Saldívar! Epac-pue... Oúma jhina, teniente... Te va arreglar la cuenta, recluta kangüe-aky...

El interpelado se incorporó restregándose los ojos, mientras los demás corrían a ocupar sus puestos de imaginaria bajo el helado relente.

Uno de los centinelas contestó al peculiar silbido que se repitió más cercano. Se oyeron las pisadas de los que venían. Un instante después, apareció la patrulla. Se podía distinguir al oficial caminando delante, entre los cocoteros, por sus botas, su gorra y su campera de cuero. Su corta y gruesa silueta avanzaba bajo la luna que un campo de cirros comenzaba a enturbiar. Tres de los cinco soldados que venían detrás traían arrastrado el cuerpo de un hombre. Probablemente otro rehén –pensó Saldívar–, como el viejo campesino de la noche anterior a quien el oficial había torturado para arrancarle ciertos datos sobre el escondrijo de los montoneros. El viejo murió sin poder decir nada. Fue terrible. De pronto, cuando le estaban pegando, el viejo se puso a cantar a media voz, con los dientes apretados, algo así como una polca irreconocible, viva y lúgubre a un tiempo. Parecía que había enloquecido. Saldívar se estremeció al recordarlo.

La caza humana no daba señales de acabar todavía. Peralta estaba irritado, obsedido, por este reducto fantasma que se hallaba enquistado en alguna parte de los esteros y que continuaba escapándosele de las manos.

El teniente Peralta era un hombre duro y obcecado; un elemento a propósito para las operaciones de limpieza que se estaban efectuando. Antiguo oficial de la Policía Militar, durante la guerra del Chaco, se hallaba retirado del servicio cuando estalló la revuelta. Ni corto ni perezoso, Peralta se reincorporó a filas. Su nombre no sonó para nada durante los combates, pero empezó a destacarse cuando hubo necesidad de un hombre experto e implacable para la persecución de los insurrectos. A eso se debía su presencia en este foco rebelde. Quería acabar con él lo más pronto posible para volver a la Capital y disfrutar de su parte en la celebración de la victoria.

Evidentemente Peralta había encontrado una pista en sus rastreos y se disponía a descargar el golpe final. En medio de la atonía casi total de sus sentidos, Saldívar oyó borrosamente la voz de Peralta dando órdenes. Vio también borrosamente que sus compañeros cargaban dos ametralladoras pesadas y salían en la dirección que Peralta les indicó. Algo oyó como que los guerrilleros estaban atrapados en la isleta montuosa de un estero. Oyó que Peralta borrosamente le decía:

–Usté, Saldívar, queda solo aquí. Nosotro' vamo' a acorralar a eso' bandido en el estero. Lo dejo responsable del prisionero y de lo' pertrecho.

Saldívar hizo un esfuerzo doloroso sobre sí mismo para comprender. Sólo comprendió un momento después que los demás ya se habían marchado. La noche se había puesto muy oscura. El viento gemía ásperamente entre los cocoteros que rodeaban circularmente el rancho. Sobre el piso de tierra estaba el cuerpo inmóvil del hombre. Posiblemente dormía o estaba muerto. Para Saldívar era lo mismo. Su mente se movía entre difusas representaciones cada vez más carentes de sentido. El sueño iba anestesiando gradualmente su voluntad. Era como una funda de goma viscosa en torno a sus miembros. No quería sino dormir. Pero sabía de alguna manera muy confusa que no debía dormir. Sentía en la nuca una burbuja de aire. La lengua se le había vuelto pastosa; tenía la sensación de que se le iba hinchando en la boca lentamente y que en determinado momento le llegaría a cortar la respiración. Trató de caminar alrededor del prisionero, pero sus pies se negaban a obedecerle; se bamboleaba como un borracho. Trató de pensar en algo definido y concreto, pero sus recuerdos se mezclaban en un tropel lento y membranoso que planeaba en su cabeza con un peso muerto, desdibujado e ingrávido. En uno o dos destellos de lucidez, Saldívar pensó en su madre, en su hermano. Fueron como estrías dolorosas en su abotagamiento blando y fofo. El sueño no parecía ya residir en su interior; era una cosa exterior, un elemento de la naturaleza que se frotaba contra él desde la noche, desde el tiempo, desde la violencia, desde la fatiga de las cosas, y lo obligaba a inclinarse, a inclinarse...

El cuerpo del muchacho tiritaba menos del frío que de ese sueño que lo iba doblegando en una dolorosa postración. Pero aún se mantenía en pie. La tierra lo llamaba; el cuerpo inmóvil del hombre sobre el piso de tierra, lo llamaba con su ejemplo mudo y confortable, pero el muchacho se resistía con sus latidos temblorosos, como un joven pájaro en la cimbra de goma.

Hugo Saldívar era con sus dieciocho años uno de los tantos conscriptos de Asunción que el estallido de la guerra civil había atrapado en las filas del servicio militar. La enconada cadena de azares que lo había hecho atravesar absurdas peripecias lo tenía allí, absurdamente, en el destacamento de cazadores de cabezas humanas que comandaba Peralta, en los esteros del Sur, cercanos al Paraná.

Era el único imberbe del grupo; un verdadero intruso en medio de esos hombres de diversas regiones campesinas, acollarados por la ejecución de un designio siniestro que se nutría de sí mismo como un cáncer. Hugo Saldívar pensó varias veces en desertar, en escaparse. Pero al final decidió que era inútil. La violencia lo sobrepasaba, estaba en todas partes. Él era solamente un brote escuálido, una yema lánguida alimentada de libros y colegio, en el árbol podrido que se estaba viniendo abajo.

Su hermano Víctor sí había luchado denodadamente. Pero él era fuerte y recio y tenía sus ideas profundas acerca de la fraternidad viril y del esfuerzo que era necesario desplegar para lograrla. Sentía sus palabras sobre la piel, pero hubiera deseado que ellas estuviesen grabadas en su corazón:

–Todos tenemos que unirnos, Hugo, para voltear esto que ya no da más, y hacer surgir en cambio una estructura social en la que todos podamos vivir sin sentirnos enemigos, en la que querer vivir como amigos sea la finalidad natural de todos...

Víctor había combatido en la guerra del Chaco y de allí había traído esa urgencia turbulenta y también metódica de hacer algo por sus semejantes. La transformación del hermano mayor fue un fenómeno maravilloso para el niño de diez años que ahora tenía ocho más y ya estaba viejo. Víctor había vuelto de la inmensa hoguera encendida por el petróleo del Chaco con una honda cicatriz en la frente. Pero detrás del surco rojizo de la bala, traía una convicción inteligente y generosa. Y se había construido un mundo en que más que recuerdos turbios y resentimientos, había amplia fe y exactas esperanzas en las cosas que podrían lograrse.

Por el mundo de Víctor sí sería hermoso vivir, pensó el muchacho muchas veces, emocionado, pero distante de sí mismo. Después vio muchas cosas y comprendió muchas cosas. Las palabras de Víctor estaban entrando lentamente de la piel hacia el corazón. Cuando volvieran a encontrarse, todo sería distinto. Pero eso todavía estaba muy lejos.

No sabía siquiera dónde podía hallarse Víctor en esos momentos. Tenía sin embargo la vaga idea de que su hermano había ido hacia el sur, hacia los yerbatales, a levantar a los mensúes. ¿Y si Víctor estuviese entre esos últimos guerrilleros perseguidos por Peralta a través de los esteros? Esta idea descabellada se le ocurrió muchas veces, pero trató de desecharla con horror. No; su hermano debía vivir, debía vivir... Necesitaba de él.

El mandato imperioso del sueño seguía frotándose contra su piel, contra sus huesos; se anillaba en torno a él como una kuriyú viscosa, inexorable, que lo iba ahogando lentamente. Iba a dormir, pero ahí estaba el prisionero. Podía huir, y entonces sería implacable Peralta con el centinela negligente. Ya lo había demostrado en otras ocasiones.

Moviéndose con torpeza en su pesada funda de goma, Saldívar hurgó en la oscuridad en busca de un trozo de alambre o de soga para amarrar al prisionero. Podía ser un cadáver, pero a lo mejor se estaba fingiendo muerto para escapar en un descuido. Sus manos palparon en vano los rincones de la casucha incendiada. Al final encontró un trozo de ysypó, reseco y demasiado corto. No servía. Entonces, en un último y desesperado destello de lucidez,

Hugo Saldívar recordó que frente al rancho había un hoyo profundo que se habría cavado tal vez para plantar un nuevo horcón que nunca sería levantado. En el hoyo podría entrar un hombre parado hasta el pecho. Alrededor del agujero, estaba el montículo de la tierra excavada. Hugo Saldívar apoyó el máuser contra un resto de tapia y empezó a arrastrar al prisionero hacia el hoyo. Con un esfuerzo casi sobrehumano consiguió meterlo en el agujero negro que resultó ser un tubo hecho como de medida. El prisionero quedó erguido en el pozo. Sólo sobresalían la cabeza y los hombros. Saldívar empujó la tierra del montículo con las manos y los reyunos, hasta rellenar mal que mal todos los huecos alrededor del hombre. El prisionero en ningún momento se resistió; parecía aceptar con absoluta indiferencia la operación del centinela. Hugo Saldívar apenas se fijó en esto. El esfuerzo desplegado lo reanimó artificialmente por unos instantes. Aún tuvo fuerzas para traer su fusil y apisonar con la culata el relleno de tierra. Después se tumbó como una piedra sobre el escaño, cuando el tableteo de las ametralladoras arreciaba en la llanura pantanosa.

El teniente Peralta regresó con sus hombres hacia el mediodía. La batida había terminado. Una sonrisa bestial le iluminaba el rostro oscuro de ave de presa. Los soldados arreaban dos o tres prisioneros ensangrentados. Los empujaban con denuestos e insultos obscenos, a culatazos. Eran más mensúes del Alto Paraná. Solamente sus cuerpos estaban vencidos. En sus ojos flotaba el destello de una felicidad absurda. Pero ese destello flotaba ya más allá de la muerte. Ellos sólo se habían demorado físicamente un rato más sobre la tierra impasible y sedienta.

Peralta llamó reciamente:

–¡Saldívar!

Los prisioneros parpadearon con resto de dolorido asombro. Peralta volvió a llamar con furia:

–¡Saldívar!

Nadie contestó. Después se fijó en la cabeza del prisionero que sobresalía del hoyo. Parecía un busto tallado en una madera musgosa; un busto olvidado allí hacía mucho tiempo. Una hilera de hormigas guaikurú trepaba por el rostro abandonado hasta la frente, como un cordón oscuro al cual el sol no conseguía arrancar ningún reflejo. En la frente del busto había una profunda cicatriz, como una pálida media luna.

Los ojos de los prisioneros estaban clavados en la extraña escultura. Habían reconocido detrás de la máscara verdosa, recorrida por las hormigas, al compañero capturado la noche anterior. Creyeron que el grito de Peralta nombrando al muerto con su verdadero apellido, era el supremo grito de triunfo del milicón embutido en la campera de cuero.

El fusil de Hugo Saldívar estaba tumbado en el piso del rancho como la última huella de su fuga desesperada. Peralta se hallaba removiendo en su estrecha cabeza feroces castigos para el desertor. No podía adivinar que Hugo Saldívar había huido como un loco al amanecer perseguido por el rostro de cobre sanguinolento de su hermano a quien él mismo había enterrado como un tronco en el hoyo.

Por la cara de Víctor Saldívar, el guerrillero muerto, subían y bajaban las hormigas.

Al día siguiente, los hombres de Peralta encontraron el cadáver de Hugo Saldívar flotando en las aguas fangosas del estero. Tenía el cabello completamente encanecido y de su rostro había huido toda expresión humana.

## ANÁLISIS

*El prisionero*, cuento de Roa Bastos, presenta un *acontecer* trágico, la lucha fratricida del pueblo paraguayo, que se dramatiza en el sacrificio involuntario de un hermano a manos de otro. Pero este episodio es una *sinécdoque* de una larga experiencia de muerte. El *narrador* evoca el tiempo de deidades sanguinarias que se proyecta en una naturaleza devoradora de todo lo que cae en sus fauces.

Sigue el recuento de este predominio de la violencia con el recuerdo de la guerra del Chaco donde los que pelearon juntos ahora se combaten como enemigos implacables.

En esta lucha se enfrentan la vida y la muerte, la ternura y la violencia, la odiosidad y la fraternidad, la mezquina realidad y los grandes ideales. Éstos son los *motivos* claves de este relato.

El *narrador* combina los *tiempos* presentes con los pasados para dar un perfil más acusado a este acontecer trágico. Es una forma de asediar el presente con el peso de un pasado tanático, acosado por una tradición donde las diversas culturas presentes en el pueblo paraguayo coexisten pero no logran fraguar un presente y un futuro vital, armónico. Símbolo de esta coexistencia en pugna son el idioma español y el guaraní en que aparecen dialogando los soldados.

Todo este pasado largo y extendido aparece concentrado en un acontecer presente, donde estas líneas de fuerzas encontradas que vienen desde el tiempo remoto se encarnan en un *espacio:* el rancho.

El rancho está en el centro de la lucha, de la muerte. Una muerte administrada por el hombre y por la selva.

"Por su duración podía calcularse el probable diámetro de la malla cazadora tomando el rancho como centro: eran tal vez unos cuatro o cinco kilómetros. Pero esa legua cuadrada de terreno rastreado y batido en todas direcciones, no tenía prácticamente límites. (...) Un grito en la noche, el inubicable chistido de una lechuza, el silbo de la serpiente en los pajonales, levantaban paredes que los fugitivos no se atrevían a franquear. Estaban encajonados en un embudo siniestro; atrapados entre las automáticas y los máuseres, a la espalda, y el terror flexible y alucinante acechando la fuga. Algunos preferían afrontar a las patrullas gubernistas. Y acaba de una vez."

En el medio, el rancho "Resultaba lúgubre y al mismo tiempo apacible; una decoración cuyo mayor efecto residía en su inocencia destruida a trechos."

El rancho, en este contexto, adquiere la dimensión de un símbolo donde los tiempos y los espacios revelan su lucha más encarnizada a través de realidades entrañables.

El rancho, obra de la voluntad creadora de vida del hombre, manifiesta la voluntad de permanecer en la vida y sus valores, a pesar de la voracidad de la violencia. Toda la *acción* devastadora de la guerra se revela ineficaz para abatir estas señas de una voluntad de vivir.

El *narrador* nos lo dice así: "La violencia misma no había completado su obra; no había podido llegar a ciertos detalles demasiado pequeños en que el recuerdo de otro tiempo sobrevivía."

Este texto invita a una lectura atenta, minuciosa de la realidad. Atenta a los detalles, a lo cualitativo. Aquí lo cuantitativo está dominado por la violencia y la muerte, pero eso no es todo. La vida está presente y se rehace desde lo mínimo. "La luna bruñía con un tinte de lechosa blancura los cuatro carbonizados muñones. Pero no era esto lo principal. En el reborde de una ventana, en el cupial del rancho, por ejemplo, persistía una diminuta maceta: una herrumbrada latita de conservas de donde emergía el tallo de un clavel reseco por las llamas; persistía allí a despecho de todo, como un recuerdo olvidado, ajena al cambio, rodeada por el brillo inmemorial de la luna, como la pupila de un niño ciego que ha mirado el crimen sin verlo".

Hay en esta parte del cuento una fina organización de los elementos para darles un sentido iluminador. A pesar del fuego y su obra destructora, la voluntad de vida y belleza de los humildes pobladores persiste asistida por la luz benefactora de la luna.

Ya podrán el desvarío y la locura humana sembrar la muerte, violentar al hermano para que mate al hermano y, ciegos, podrán celebrar este crimen como un éxito y cobrar su recompensa y soñar gozarla. No es esto lo esencial, lo principal. Lo principal es ese escaño, aislado "... por años y años de fatigas y sudores rurales (...) y una vela a medio consumir (...) un pequeño arado (...) parecía esperar el tiro tempranero de la yunta en su balancín y en las manceras los puños rugosos y suaves que se estarían pudriendo ahora quién sabe en qué arruga perdida de la tierra. Por estas huellas venía el recuerdo de la vida. Los soldados nada significaban; las automáticas, los proyectiles, la violencia tampoco. Sólo esos detalles de una desvanecida ternura contaban."

Esta parte no está al comienzo ni al final del relato, está en el medio, como el rancho, y desde aquí alumbra el sentido de lo acontecido antes en el pasado remoto, en el próximo y de lo que vendrá. Es fundamental que esto que el *narrador* precisa como lo importante, el lector lo registre como tal y tomando perspectiva lo integre en el lugar que corresponde al momento de buscar el mensaje estético final.

El *narrador* nos ayuda en esta tarea: "A través de ellos se podía ver lo invisible; sentir en su trama secreta el pulso de lo permanente. Por entre las detonaciones, que parecían a su vez el eco de otras detonaciones más lejanas, el rancho se apuntalaba en sus pequeñas reliquias."

La literatura rescatable, perdurable, es ésta, la que hace ver lo invisible, la que, en el aparente absurdo y sin sentido dominante, abre espacio y tiempo para captar un destino abierto a la vida, a la esperanza. Frente a la violencia, apoyada en la fuerza, este cuento nos abre a la presencia de la ternura, a su fuerza invencible.

*Actividades*

1. Haz un afiche relacionado con el cuento.
2. Analiza el tema del amor fraternal. Relaciónalo con tu vida.
3. Realiza un radioteatro con un fragmento del cuento. No olvides los efectos de sonido. Grábenlo y luego escúchenlo.
4. Relata un monólogo, creado por ti, como si fueras Hugo Saldívar.
5. Realicen una exposición oral sobre las consecuencias de la guerra.
6. Inventa y escribe un relato que ocurra en dos tiempos y lugares distintos.
7. Crea un final feliz para la historia. Por ejemplo, el reencuentro de los hermanos.
8. Observa las siguientes palabras y formula una regla de acentuación:

| | |
|---|---|
| intermitentemente | fijamente |
| físicamente | ásperamente |
| implacablemente | rápidamente. |

9. Escribe con tus compañeros un listado de palabras con *h* intermedia. Luego busca ejemplos en el cuento.
10. Inventa oraciones utilizando paréntesis y comillas. Relaciónalas con el tema del cuento.
11. Completa estas oraciones con la conjunción que corresponda (como, mientras, y, luego, o, pero):

–Formaban una línea indecisa__fluctuante en torno al rancho.

–Eran tal vez unos cuatro__cinco kilómetros.

–Los hombres se reflejaban en ellos___sombras de un viejo sueño elemental.

–La delgada columna de humo ganaba altura y____se deshacía en azuladas y algodonosas guedejas que las ráfagas se disputaban.

–El interpelado se incorporó restregándose los ojos,_____los demás corrían a ocupar sus puestos de imaginaria bajo el helado relente.

–Sentía sus palabras sobre la piel,_____hubiera deseado que ellas estuviesen grabadas en su corazón.

12. Analiza en las siguientes oraciones los modificadores o determinantes del núcleo del predicado.

–Los disparos se respondían intermitentemente en la fría noche invernal.

–El interpelado se incorporó restregándose los ojos.

–El viejo murió sin poder decir nada.

–El teniente Peralta regresó con sus hombres hacia el mediodía.

–Lo dejó responsable del prisionero.

13. Excluye el término que no corresponda:

| *Indecisa* | *Morir* | *Fuego* | *Cebo* |
|---|---|---|---|
| a) indefinida | a) fallecer | a) incendio | a) carnada |
| b) imprecisa | b) expirar | b) balazo | b) señuelo |
| c) ambigua | c) fenecer | c) quema | c) cimbel |
| d) definitiva | d) perecer | d) combustión | d) raba |
| e) confusa | e) agonizar | e) inflamación | e) sebo. |

14. Analiza la actitud narrativa.

15. Identifica si la caracterización es directa o indirecta. Argumenta tu elección.

16. Identifica las figuras literarias presentes en las siguientes citas:

"... los hombres se reflejaban en ellos como sombras de un viejo sueño elemental".

"La luna bruñía con un tinte de lechosa blancura los cuatro carbonizados muñones".

"El viento gemía ásperamente entre los cocoteros..."

# Juan Rulfo

*(Mexicano, 1918-1986)*

“La única esperanza que nos queda es que el becerro esté todavía vivo.”

Rulfo nos muestra la pobreza, pero no en el sentido material, sino óntico, es decir, aquella pobreza que no le permite al hombre superar su estado.

Considerado uno de los más grandes escritores mexicanos, fue novelista, cuentista, fotógrafo, guionista de cine y televisión. Trabajó en la Oficina de Migración y fue director del Departamento Editorial del Instituto Nacional Indigenista, trabajo que conservó hasta el final de su vida.

Este artista dio a la luz pública sólo dos obras, y con ellas logró alcanzar la más alta perfección en el cuento y la novela. Rulfo considera que “la fuerza de la imaginación es tan poderosa que puede acondicionar los hechos reales”.

En Juan Rulfo hay una notable conjunción de lo ético y lo estético, en su vida y en su obra. La consecuencia entre las ideas y la conducta que marcó su vida se proyecta en su obra. Ésta es paradigma de ajuste, de encuentro entre expresión y contenido. Con esto nos entrega un mundo que evapora verdad. La verdad de la precariedad de los hombres y mujeres de los campos y pueblos pobres de América.

Entre sus obras tenemos: *El llano en llamas* (1953, colección de cuentos); *Pedro Páramo* (1955, novela); *El gallo de oro* (1980, obra que recoge sus textos cinematográficos).

En 1974, destruyó el original de *La cordillera*, novela en la que había trabajado por más de una década. A pesar del deseo de muchos porque volviera a editar otra obra, no lo hizo. Murió el 7 de enero de 1986.

# ES QUE SOMOS MUY POBRES

AQUÍ TODO VA DE MAL EN PEOR. La semana pasada se murió mi tía Jacinta, y el sábado, cuando ya la habíamos enterrado y comenzaba a bajársenos la tristeza, comenzó a llover como nunca. A mi papá eso le dio coraje, porque toda la cosecha de cebada estaba asoleándose en el solar. Y el aguacero llegó de repente, en grandes olas de agua, sin darnos tiempo ni siquiera a esconder aunque fuera un manojo; lo único que pudimos hacer, todos los de mi casa, fue estarnos arrimados debajo del tejabán, viendo cómo el agua fría que caía del cielo quemaba aquella cebada amarilla tan recién cortada.

Y apenas ayer, cuando mi hermana Tacha acababa de cumplir doce años, supimos que la vaca que mi papá le regaló para el día de su santo se la había llevado el río.

El río comenzó a crecer hace tres noches, a eso de la madrugada. Yo estaba muy dormido y, sin embargo, el estruendo que traía el río al arrastrarse me hizo despertar en seguida y pegar el brinco de la cama con mi cobija en la mano, como si hubiera creído que se estaba derrumbando el techo de mi casa. Pero después me volví a dormir, porque reconocí el sonido del río y porque ese sonido se fue haciendo igual hasta traerme otra vez el sueño.

Cuando me levanté, la mañana estaba llena de nublazones y parecía que había seguido lloviendo sin parar. Se notaba en que el ruido del río era más fuerte y se oía más cerca. Se olía, como se huele una quemazón, el olor a podrido del agua revuelta.

A la hora en que me fui a asomar, el río ya había perdido sus orillas. Iba subiendo poco a poco por la calle real, y estaba metiéndose a toda prisa en la casa de esa mujer que le dicen *la Tambora*. El chapaleo del agua se oía al entrar por el corral y al salir en grandes chorros por la puerta. *La Tambora* iba y venía caminando por lo que era ya un pedazo de río, echando a la calle sus gallinas para que se fueran a esconder a algún lugar donde no les llegara la corriente.

Y por el otro lado, por donde está el recodo, el río se debía de haber llevado, quién sabe desde cuándo, el tamarindo que estaba en el solar de mi tía Jacinta, porque ahora ya no se ve ningún tamarindo. Era el único que había en el pueblo, y por eso nomás la gente se da cuenta de que la creciente esta que vemos es la más grande de todas las que ha bajado el río en muchos años.

Mi hermana y yo volvimos a ir por la tarde a mirar aquel amontonadero de agua que cada vez se hace más espesa y oscura y que pasa ya muy por encima de donde debe estar el puente. Allí nos estuvimos horas y horas sin cansarnos viendo la cosa aquella. Después nos subimos por la barranca, porque queríamos oír bien lo que decía la gente, pues abajo, junto al río, hay un gran ruidazal y sólo se ven las bocas de muchos que se abren y se cierran y como que quieren decir algo; pero no se oye nada. Por eso nos subimos por la barranca, donde también hay gente mirando el río y contando los perjuicios que ha hecho. Allí fue donde supimos que el río se había llevado a *la Serpentina*, la vaca esa que era de mi hermana Tacha porque mi papá se la regaló para el día de su cumpleaños y que tenía una oreja blanca y otra colorada, y muy bonitos ojos.

No acabo de saber por qué se le ocurriría a *la Serpentina* pasar el río este, cuando sabía que no era el mismo río que ella conocía de a diario. *La Serpentina* nunca fue tan atarantada. Lo más seguro es que ha de haber venido dormida para dejarse matar así nomás por nomás. A mí muchas veces me tocó despertarla cuando le abría la puerta del corral, porque si no, de su cuenta, allí se hubiera estado el día entero con los ojos cerrados, bien quieta y suspirando, como se oye suspirar a las vacas cuando duermen.

Y aquí ha de haber sucedido eso de que se durmió. Tal vez se le ocurrió despertar al sentir que el agua pesada le golpeaba las costillas. Tal vez entonces se asustó y trató de regresar; pero al volverse se encontró entreverada y acalambrada entre aquella agua negra y dura como tierra corrediza. Tal vez bramó pidiendo que le ayudaran. Bramó como sólo Dios sabe cómo.

Yo le pregunté a un señor que vio cuando la arrastraba el río si no había visto también al becerrito que andaba con ella. Pero el hombre dijo que no sabía si lo había visto. Sólo dijo que la vaca manchada pasó patas arriba muy cerquita de donde él estaba y que allí dio una voltereta y luego no volvió a ver ni los cuernos ni las patas ni ninguna señal de vaca. Por el río rodaban muchos troncos de árboles con todo y raíces y él estaba muy ocupado en sacar leña, de modo que no podía fijarse si eran animales o troncos los que arrastraba.

Nomás por eso, no sabemos si el becerro está vivo, o si se fue detrás de su madre río abajo. Si así fue, que Dios los ampare a los dos.

La apuración que tienen en mi casa es lo que pueda suceder el día de mañana, ahora que mi hermana Tacha se quedó sin nada. Porque mi papá con muchos trabajos había conseguido a *la Serpentina* desde que era una vaquilla, para dársela a mi hermana, con el fin de que ella tuviera un capitalito y no se fuera a ir de piruja como lo hicieron mis otras dos hermanas las más grandes.

Según mi papá, ellas se habían echado a perder porque éramos muy pobres en mi casa y ellas eran muy retobadas. Desde chiquillas ya eran rezongonas. Y tan luego que crecieron les dio por andar con hombres de lo peor, que les enseñaron cosas malas. Ellas aprendieron pronto y entendían muy bien los chiflidos, cuando las llamaban a altas horas de la noche. Después salían hasta de día. Iban cada rato por agua al río y a veces, cuando uno menos se lo esperaba, allí estaban en el corral, revolcándose en el suelo, todas encueradas y cada una con un hombre trepado encima.

Entonces mi papá las corrió a las dos. Primero les aguantó todo lo que pudo; pero más tarde ya no pudo aguantarlas más y les dio carrera para la calle. Ellas se fueron para Ayutla o no sé para dónde; pero andan de pirujas.

Por eso le entra la mortificación a mi papá, ahora por la Tacha, que no quiere vaya a resultar como sus otras dos hermanas, al sentir que se quedó muy pobre viendo la falta de su vaca, viendo que ya no va a tener con qué entretenerse mientras le da por crecer y pueda casarse con un hombre bueno, que la pueda querer para siempre. Y eso ahora va a estar difícil. Con la vaca era distinto, pues no hubiera faltado quién se hiciera el ánimo de casarse con ella, sólo por llevarse también aquella vaca tan bonita.

La única esperanza que nos queda es que el becerro esté todavía vivo. Ojalá no se le haya ocurrido pasar el río detrás de su madre. Porque si así fue, mi hermana Tacha está tantito así de retirado de hacerse piruja. Y mamá no quiere.

Mi mamá no sabe por qué Dios la ha castigado tanto al darle unas hijas de ese modo, cuando en su familia, desde su abuela para acá, nunca ha habido gente mala. Todos fueron criados en el temor de Dios y eran muy obedientes y no le cometían irreverencias a nadie. Todos fueron por el estilo. Quién sabe de dónde les vendría a ese par de hijas suyas aquel mal ejemplo. Ella no se acuerda. Le da vuelta a todos sus recuerdos y no ve claro dónde estuvo su mal o el pecado de nacerle una hija tras otra con la misma mala costumbre. No se acuerda. Y cada vez que piensa en ellas, llora y dice: "Que Dios las ampare a las dos."

Pero mi papá alega que aquello ya no tiene remedio. La peligrosa es la que queda aquí, la Tacha, que va como palo de ocote crece y crece y que ya tiene unos comienzos de senos que prometen ser como los de sus hermanas: puntiagudos y altos y medio alborotados para llamar la atención.

–Sí –dice–, le llenará los ojos a cualquiera donde quiera que la vean. Y acabará mal; como que estoy viendo que acabará mal.

Esa es la mortificación de mi papá.

Y Tacha llora al sentir que su vaca no volverá porque se la ha matado el río. Está aquí, a mi lado, con su vestido color de rosa, mirando el río desde la barranca y sin dejar de llorar. Por su cara corren chorretes de agua sucia como si el río se hubiera metido dentro de ella.

Yo la abrazo tratando de consolarla, pero ella no entiende. Llora con más ganas. De su boca sale un ruido semejante al que se arrastra por las orillas del río, que la hace temblar y sacudirse todita, y, mientras, la creciente sigue subiendo. El sabor a podrido que viene de allá salpica la cara mojada de Tacha y los dos pechitos de ella se mueven de arriba abajo, sin parar, como si de repente comenzaran a hincharse para empezar a trabajar por su perdición.

## ANÁLISIS

"AQUÍ TODO VA DE MAL EN PEOR". El inicio resume el sentido del acontecer global. Su declive irremediable. En este primer párrafo, además, se entregan imágenes que simbolizan el deterioro de la familia. La naturaleza asume al hombre y lo patentiza. Revela su sentido o su sinsentido.

En esta línea aparece aquella "...cosecha de cebada (...) asoleándose en el solar", donde las aliteraciones cantan su madurez y plenitud, que luego se malbaratará sin remedio, y donde "...lo único que pudimos hacer, todos los de mi casa, fue estarnos arrimados debajo del tejabán, viendo cómo el agua fría que caía del cielo quemaba aquella cebada amarilla tan recién cortada".

Impotencia frente a la desgracia. Autocompasión. Fatalismo.

Aparte del dominio magnífico de la expresividad, evidente en ese enjambre de *aliteraciones:* "arrimados debajo del tejabán", está esta *antítesis* del *"agua fría* que caía del cielo" y *"quemaba* aquella cebada amarilla tan recién cortada". El cancionero tradicional dice: "soñé que el fuego se helaba; soñé que la nieve ardía".

Hay en este primer párrafo tal condensación de imágenes tan vívidas que hace difícil su análisis y valoración en cuanto material de la cotidianeidad que se transfigura para encarnar el destino de las personas. La mención, en el párrafo siguiente, de la hermana nos invita a sentir que la cebada y las hijas de esa familia están afectadas por una situación análoga: de malogro de su existencia en el punto en que han llegado a su plenitud.

En esta primera parte está el trasfondo del problema. El título no da cuenta de la causa de la pobreza. Ésta es su efecto. La causa está en el sueño, en no estar despiertos los de la familia. En no despertar y permanecer vigilantes y actuantes cuando los acontecimientos así lo exigen.

Así, el título se revela como el pretexto, "el cuento" que la familia, en plural, se cuenta. La causa, de la que nadie de la familia se ha enterado, la revelan los hechos.

Así, en síntesis, lo dice el comportamiento del narrador: "... el estruendo que traía el río al arrastrarse me hizo despertar en seguida y pegar el brinco de la cama con mi cobija en la mano. (...) Pero después me volví a dormir, porque reconocí el sonido del río y porque ese sonido se fue haciendo igual hasta traerme otra vez el sueño".

Aquí sí está, en síntesis y en símbolo, lo que ha pasado con esta familia. La fuerza de los hechos no ha podido menos que despertarlos, pero luego esos hechos se les han tornado familiares y la rutina los ha vuelto a sumergir en una suerte de sonambulismo.

En esta primera parte también, como una sinopsis fílmica, se indicia que "algo huele mal en Dinamarca" *(Hamlet):* "Se olía, como se huele una quemazón, el olor a podrido del agua revuelta".

Hay la imagen de un agua que quema pero no purifica, sino que corrompe. Es lo que ha hecho el río de la vida con las hijas de la familia. Las ha corrompido y se las ha llevado. Primero a las dos mayores. Ahora, a la menor.

El destino de Tacha está prefigurado en la vaca *Serpentina* que pasaba el día "... con los ojos cerrados, bien quieta y suspirando, como se oye suspirar a las vacas cuando duermen".

El padre se la había regalado a Tacha para que alguien por interés de la vaca se casara con ella, o sea, ha confundido el ser con el tener. La caída de las dos hijas mayores no los ha despertado ni a él ni a la madre. Tampoco al hermano, a quien el problema lo desborda. Ni siquiera lo comprende, menos puede resolverlo.

Así, esta familia le "echa la culpa al empedrado", a la pobreza; pero la culpa es su ausencia, su no estar despierta para velar y procurar los remedios eficaces para los males que los amenazan.

Hay un *ambiente* campesino, de aldea pobre, dentro de una cultura donde los valores de la persona se han debilitado y se han sustituido por cosas, por bienes materiales. Cuando falla esto, todo está perdido.

Es lo que dice el *ambiente* de este cuento magistral de Juan Rulfo.

"Por su cara corren chorretes de agua sucia como si el río se hubiera metido dentro de ella. (...) El sabor a podrido que viene de allá salpica la cara mojada de Tacha y los dos pechitos de ella se mueven de arriba abajo, sin parar, como si de repente comenzaran a hincharse para empezar a trabajar por su perdición".

La vida que llega a raudales a Tacha no la plenifica sino que la corrompe y la pierde. El cuento es un ejemplo de una cultura que ha perdido sus valores vitales, trascendentes, y los ha sustituido por bienes contingentes. El sueño es símbolo, antesala de la muerte.

*Actividades*

1. Inventa un nuevo título para el cuento.
2. Construye con ayuda de tus compañeros una maqueta que represente el ambiente físico.
3. Representen a través de la mímica distintos animales. Si pueden, fotografíen o filmen la actividad. Pueden agregar otros objetos de la naturaleza personificados, por ejemplo: el río.
4. Discutan sobre el futuro de Tacha, donde cada integrante asuma puntos de vista diferentes. Por ejemplo, del padre, del hermano, de la madre, de las hermanas.
5. Organiza un foro cuyo tema sea: "La pobreza espiritual".

6. Inventa y escribe un relato donde la protagonista sea Serpentina.

7. Imagina el mundo de Tacha diez años después y descríbelo.

8. Sintetiza con ayuda de tu profesor, en un esquema, las reglas generales de acentuación.

9. Escribe un listado de palabras terminadas en jera, jero, jería, jear. Con cada una de ellas inventa una oración que se relacione con la lectura.

10. Utilizando la coma y el hipérbaton, altera el orden gramatical de las siguientes oraciones:

–El río comenzó a crecer hace tres noches.

–Yo estaba muy dormido.

–Mi hermana y yo volvimos a ir por la tarde.

–El aguacero llegó de repente.

–La vaca manchada pasó patas arriba.

11. Reemplaza las palabras destacadas por un sinónimo. No te olvides de adecuarlo al contexto.

–La *apuración* que tienen en mi casa es lo que pueda *suceder* el día de mañana ahora que mi hermana Tacha se quedó sin nada.

–Yo la abrazo tratando de *consolarla,* pero ella no entiende.

–El sabor a *podrido* que viene de allá *salpica* la cara mojada.

–Pero mi papá *alega* que aquello ya no tiene *remedio.*

12. Investiga con tus compañeros la clasificación de las oraciones simples. Con ayuda de tu profesor realiza un esquema. Luego, entre todos, busquen ejemplos en la lectura del cuento.

13. Averigua el significado de las siguientes palabras y ubícalas en el cuento leído: tejabán, chapaleo, retobadas, mortificación, ocote.

14. Identifica los *flash-back*, en el cuento.

15. Indica tres motivos presentes en el cuento. Fundamenta tu elección con fragmentos del mismo.

16. Identifica las siguientes figuras literarias:

"De su boca sale un ruido semejante al que se arrastra por las orillas del río".

"Por su cara corren chorretes de agua sucia como si el río se hubiera metido dentro de ella".

# Guillermo Blanco

*(Chileno, 1926-    )*

"Todavía ahora sentía incrustados en su carne esos ojos de acero..."

Nació en Talca. Sus primeros estudios los realizó en su ciudad natal, para completarlos en Santiago.

Periodista, profesor universitario, ensayista, cuentista y novelista.

Empezó su carrera periodística en el semanario *La Voz*. De ahí pasó a *Ercilla* y luego a *Hoy*, donde escribió reportajes y entrevistas.

Es profesor fundador de la Escuela de Periodismo de la Universidad Católica de Chile, fue jefe de la carrera de pedagogía en castellano de la Universidad Blas Cañas, y profesor de creación narrativa en el Instituto de Letras de la Universidad Católica. Miembro de número de la Academia Chilena de la Lengua, es además miembro del Consejo Nacional de Televisión.

Considerado por la crítica como escritor perteneciente a la llamada Generación del 50, es hombre que ama la palabra, busca la comunicación y se rebela contra las injusticias.

Obras: *Sólo un hombre y el mar* (1957); *Misa de Réquiem* (1959); *Revolución en Chile* (1962, novela escrita en colaboración con Carlos Ruiz-Tagle);

*Gracia y el forastero* (1964); *Cuero de diablo* (1966); *Los borradores de la muerte* (1969); *Ahí va ésa* (1973, artículos periodísticos); *Adiós a Ruibarbo* (1974), *Contando a Chile* (1975, en colaboración con el dibujante Lukas); *El Evangelio de Judas* (1979); *Placeres prohibidos* (1976, artículos periodísticos); *Dulces chilenos* (1977, primera edición en España, 1993 edición en Chile); *Libro de buen dolor* (1986); *Camisa limpia* (1989); *Vecina amable* (1990); *En Jauja la Megistrú* (1993); *El humor brujo* (1996); *El joder y la gloria* (1997).

# LA ESPERA

HABÍA DEJADO de llover cuando despertó. Aún era de noche, pero afuera estaba casi claro, y a través de una de las ventanas penetraba el resplandor vago, fantasmal, del plenilunio. Desde el camino llegaba el son del viento entre las hojas de los álamos. Más acá, en el pasillo o en alguna de las habitaciones, una tabla crujió. Luego crujió una segunda, luego una tercera; silencio. Diríase que alguien había dado unos pasos sigilosos y se había detenido. Un perro aulló a la distancia, largamente. El aullido pareció ascender por el aire nocturno, describir un arco como un aerolito y perderse poco a poco, devorado por la oscuridad. A intervalos parejos, un resabio de agua goteaba del alero.

Ella imaginó los charcos que habría en el patio, y en los charcos la luna, quieta. Veía desde su lecho la copa del ciprés, que se balanceaba con dignidad sobre un fondo revuelto de nubes y cielo despejado. El contorno de la reja destacaba, nítido; reproducíase, por efecto de la sombra, en el muro frontero, donde se dibujaban siluetas extrañas.

Tuvo miedo de nuevo.

Miedo de la hora, del frío, de los diminutos ruidos que rompían a intervalos el silencio; miedo del silencio mismo. Miró a su marido: dormía con gran placidez. Su rostro, no obstante, bañado en luz blanquecina, poseía un aire siniestro, de cadáver o criatura de otro mundo. Sintió el impulso de despertarlo, mas no se atrevió. Habría sido absurdo. Su miedo lo era. Y sin embargo era tan fuerte. La oprimía por momentos igual que una tenaza, impidiéndole respirar aunque mantenía abierta la boca, aunque cambiaba suavemente de postura. Suavemente, para no interrumpir el sueño de él.

*Duerme, amor, duerme. No voy a molestarte.*

*Estoy un poco nerviosa, eso es todo. Son los nervios, amor, que no me dejan tranquila.*

Un ave nocturna cantó quizá dónde. No era un canto lúgubre, sino una especie de música a un tiempo misteriosa y serena.

Tornó ella a percibir el crujido de las tablas, acercándose.

*Yo sé que no es nadie. Siempre pasa esto y no es nadie. No es nadie. Nadie.*

De pronto tuvo conciencia de que su frente se hallaba cubierta de sudor. Se enjugó con la sábana. *Amor, amor,* repitió mentalmente, en un mudo grito de angustia. ¡Si él despertase! Si se desvelara también, y así, juntos, conversaran en voz baja hasta llegar el día...

Pero el hombre no captaba su llamado interno. Era la fatiga, pensó. Con tanto quehacer de la mañana a la tarde, con el madrugón de hoy...

*Duerme. No te importe.*

El viento semejó detenerse unos instantes, para continuar en seguida su melodía unicorde en la alameda. Por primera vez notó ella, apagada por la distancia, la monótona música del río: se vería muy pálido ahora: un río de pesadilla, resbalando con terrible lentitud, y a ambos lados los sauces beberían interminablemente, encorvados, en libación comparable a un pase de brujos, y arriba el cielo nuboso y el revolotear de los murciélagos, y la voz honda de la corriente repetiría su pedregoso murmullo de abracadabra.

(Una muchacha había muerto en el río, años atrás. Cuando encontraron su cadáver oculto en las zarzas de un remanso se hubiera creído que vivía aún, tal era la transparencia de sus ojos abiertos, tal la paz de sus manos y sus facciones, y la frescura que irradiaba toda ella. Vestía un traje celeste con flores blancas; un traje sencillo, delgado. Al sacarla del agua, la tela se ceñía a su cuerpo de modo que daba la idea de constituir una unidad con él. Nadie supo nunca quién era ni de dónde venía. Sólo que era joven, que la muerte le había conferido belleza, que sus rasgos eran limpios y puros. Los mozos de la comarca pensaban en ella y les daba pena su existencia interrumpida, y la amaban un poco en sus imaginaciones. Ignoraban por qué apareció allí. No debió de ahogarse, pues no estaba hinchada, mas en su rostro ninguna huella mostraba el paso de una enfermedad, o de un golpe o un tiro. La llevaron a San Millán para hacerle la autopsia. Los mozos no supieron más. No quisieron saber: la recordaban tal cual surgió: lozana, amable, serena, con algo de irreal o feérico, desprovista de nombre, de causas. ¿Para qué saber más? ¿Para qué saber si por este o el otro motivo resolvió quitarse la vida, o si no se la quitó? Al referirse a ella la llamaban la Niña del Río, aunque su cuerpo era ya el de una mujer. Decían que desde esa tarde el río cantaba de diversa manera en el lugar donde apareció. Y quizá si en el fondo no lamentaran verdaderamente que hubiese perecido, porque no la conocieron viva y porque viva no habría podido ser sino de uno –ninguno de ellos, de seguro–, y así, en cambio, su grácil fantasma era patrimonio de todos.)

Un perro ladró nuevamente, lejos. Después ladró otro más cerca.

Si él despertase ahora. Cómo lo deseaba. Cómo deseaba tener sus brazos en torno, fuertes y tranquilizadores, o sentir su mano grande enredada en el pelo. En un impulso repentino lo besó. Apenas. El hombre emitió un breve gruñido, chasqueó la lengua dentro de la boca y siguió durmiendo.

*Pobre amor: estás cansado.*

Cerró los ojos.

Entonces lo vio. Lo vio con más nitidez que nunca, igual que si la escena estuviese repitiéndose allí, dentro del cuarto, y el Negro volviese a morder las palabras con que amenazara a su marido:

–¡Me lah vai a pagar, futre hijo'e perra!

Vio sus pupilas enrojecidas y su rostro barbudo, que se contraía en una suerte de impasible mueca de odio. Ella nunca se había encontrado antes frente al odio –a la ira sí, pero no al odio– y experimentó una mezcla de terror y de piedad hacia ese infeliz forajido que iba a pasar el resto de sus días encerrado entre cuatro paredes, sin una palabra de consuelo ni una mano amiga, encerrado con su rencor, doblemente solo por ello y doblemente encerrado.

–¡Me lah vai a pagar!

Y a medida que los carabineros se lo llevaban, con las manos esposadas y atado por una cuerda al cabestro de una de sus cabalgaduras, el Negro se volvía a repetir un ronco:

–¡Te lo juro! ¡Te lo juro!

El esposo lo miraba en silencio, y ella se dijo que tal vez también a él le daba lástima ver al preso tan inerme. Un bandido que era el terror de la comarca, cuyo estribo besaran muchos para implorar su gracia o su favor, y cuyo puñal guardaba el recuerdo de la carne de tantos muertos y tantos heridos. De vientres abiertos y caras marcadas, de brazos o pechos rajados de alto a bajo.

Sí, era malo. Pero ¿era malo? ¿Podía ser real maldad tanta maldad? ¿No era, acaso, una especie de locura: la del lobo, o el perro que de pronto se torna matrero?

Y aunque no fuera sino maldad –pensaba–, y quizá por eso mismo, el Negro era digno de compasión. Debía de ser terrible vivir así, odiando y temiendo, temido y odiado, perseguido, sin saber lo que es hogar ni lo que es amor, comiendo de cualquier manera en cualquier parte; amando con el solo instinto, a campo raso, a hurtadillas. Un amor de barbarie animal, desprovisto de ternura, sin la caricia suave, secreta, que es como un acto esotérico: ni el beso quieto que no destroza los labios, ni la charla tranquila frente a la tarde, ni la mirada infinita y perfecta. Un amor que seguramente no es correspondido con amor, sino con terror, y que dura un instante, para dar paso de nuevo a la fuga.

Así lo sorprendió su marido, oculto entre unas zarzas, con una mujer blanca de miedo y embadurnada de sangre. Lo encañonó con el revólver.

–Párate, Negro. Arréglate.

–Deje mejor, patrón.

Pronunciaba "patrón" con una ironía sutil y profunda. Casi una befa.

–Párate.

–Le prevengo, patrón.

Él no respondió. El Negro se puso de pie con ostensible lentitud. A lo largo del camino, hasta la quebrada de la Higuera, fue repitiéndole:

–Toavía eh tiempo, patrón. Puee cohtarle caro.

Y él mudo.

–Yo tengo mi gente, patrón.

Silencio.

–Piense en la patrona, que icen qu'eh güenamoza y joen. . .

El Negro marchaba unos pasos delante, y le hablaba mostrándole el perfil. Él lo miraba desde arriba de su caballo, con la vista aguzada, pronto a disparar al menor movimiento extraño.

–Sería una pena que enviudara la patroncita...

Pausa. El perfil sonreía apenas, con malicia.

–... o que enviudara uhté...

–Si dices media cosa más, te meto un tiro.

–¡Por Dioh, patrón!

–Cállate.

–Ni que me tuviera miedo –murmuró, fríamente socarrón, demorándose en las palabras.

Y de improviso, en un instante, se inclinó y cogió una piedra, y cuando iba a lanzársela, él oprimió el gatillo, una, dos, tres veces. Un par de balas se alojó en la pierna izquierda del Negro, que permaneció inmóvil, esperando. Ambos jadeaban.

–¿No 'e, patrón? La embarró. Ahora no voy a poder andar.

Lo ató con el lazo cuidadosamente, haciéndolo casi un ovillo, y lo puso atravesado sobre la montura, de modo que sus pies colgaban hacia un lado y la cabeza hacia el otro. Así, tirando él de la brida, lo condujo hasta las casas del fundo. Cuando llegaron, el Negro se había desangrado con profusión: su pantalón estaba salpicado de rojo, salpicada también la cincha, y un reguero de puntos rojos marcaba el camino por donde vinieran.

Desde el pórtico de entrada los vio ella. Primero se alarmó por su marido, creyendo que podía haberle ocurrido algo, mas pronto se dio cuenta de que se hallaba bien. Adivinando la respuesta, preguntó muy quedo:

–¿Quién es?

–El Negro.

Pálido, desencajado, el Negro alzó el rostro con gran esfuerzo, la observó fijamente. Todavía ahora sentía incrustados en su carne esos ojos de acero, llameantes en medio de la extrema debilidad y tintos de un objetivo toque perverso. Recordaba que se puso a temblar. Luego la cerviz del bandido se inclinó, mustia.

–Se desmayó. Habrá que curarlo –dijo el esposo.

–¿Tiene heridas graves?

–No. Le di en el muslo, pero es necesario contener la hemorragia.

–Yo lo curaré.

Él la cogió del brazo.

–¿No te importa?

Sonrió débilmente.

–No. No me importa. Déjame.

Su mano vibraba al ir cogiendo el algodón, la gasa, yodo. El corazón le golpeaba con extraordinaria violencia, y por momentos le parecía que iban a reventarle las sienes. Le parecía que se ablandaban sus piernas al avanzar por el largo corredor hasta el cuarto donde yacía el hombre. Lo halló puesto sobre una angarilla, con las muñecas sujetas a ambos costados y las piernas abiertas, cogidas con fuertes sogas que se unían por debajo. Era la imagen de la humillación.

Se veía más repuesto, sin embargo.

–Buenas tardes –musitó.

La miró él de pies a cabeza. Dejó pasar un largo minuto. Por fin replicó, en tono de endiablada ironía:

–Güenah tardeh, patrona.

Le alzó el pantalón con timidez. La desnuda carne lacerada, cubierta de machucones y cicatrices, inspiraba la lástima que podría inspirar la carne de un mendigo. Con agua tibia lavó la sangre, cuyo flujo era ya menor, para ir aplicando después, en medio de enormes precauciones, el yodo, que lo hacía recogerse en movimientos instintivos.

–¿Duele?

El Negro no replicó, pero sus músculos permanecieron rígidos desde ese instante, y el silencio –apenas roto por el sonido metálico de las tijeras o por el crujir del paquete de algodón– pesó en el aire de la pieza con ominosa intensidad. Le resultó eterno el tiempo que tardó en concluir. Era difícil pasar las vendas por entre tantas ataduras, y entre el cuerpo del hombre y las parihuelas, en especial porque él mismo no cooperaba. Al contrario: diríase que gozaba atormentándola con su propio sufrimiento.

Terminó.

Calladamente reunió sus cosas y se levantó para partir.

–Patrona...

Se volvió. Los ojos pequeños, sombríos, del herido la miraban con una mirada indescriptible.

–Le agradehco, patrona.

–No hay de qué –balbució.

Mas él no había acabado:

–Si me llevan preso, me van a joder.

Pausa.

–El patrón no gana naa; ni uhté tampoco. Y si llego a ehcaparme dehpuéh, le juro que la dejo viuda... Sería una pena.

Ella no sabía qué hacer ni qué decir. Por fin se fue, paso a paso, hacia la puerta.

–Hasta luego –articuló, con voz que apenas se oía.

De pronto el Negro se puso tenso. Habló, y en su tono palpitaba una dureza feroz:

–¡Y a ti tamién te mato, yegua fina!

Salió precipitada, yerta de espanto.

En los dos días que demoraron en venir los carabineros no hizo sino pedir a su marido que permitiera huir al preso.

–¿Por qué va a enterarse nadie? Le dejas el camino hecho, sin contarle siquiera. Ni a él. Podrías ponerle un cuchillo al alcance de la mano. ¿Quién sabría?

–Yo.

–Amor.

–Estás loca.

–Hazlo. Te...

–Pero si es tan absurdo.

–No voy a vivir tranquila.

–Y si lo suelto, ¿cuántas mujeres dejarán de vivir tranquilas? ¿Cuántas perderán a sus hijos, o..., o...? Tú sabes cómo lo encontré. Esa pobre muchacha tenía su novio, tendría sus esperanzas, sus planes, igual que tú cuando nos casamos. ¿Y ahora? El novio no quiere ni verla. Le ha bajado por ahí el honor, al imbécil. Y ella..., bueno. Está vacía. Nada va a ser como antes para ella. Por el Negro. Por este bruto. ¿Y quieres que tu miedo le permita seguir haciendo de las suyas?

–Va a escapar.

–No veo...

Fue en vano insistir. Sin embargo, algo en su adentro se resistía a toda razón, sobre toda razón la impulsaba a desear que aquello se arreglase en cualquier forma, de modo que el Negro se viera libre y ellos no tuvieran encima la espada de Damocles de su venganza.

Pero nada ocurrió. Cuando los carabineros llegaron, el preso rugía de ira, echaba maldiciones horrendas, se debatía. Insensible a los golpes que le daban para aquietarlo, gritaba:

–¡Me lah vai a pagar, futre hijo'e perra!

Por un instante la vio.

–¡Y voh tamién, yegua!

La agitó a ella una sensación de angustia. Habría deseado decirle palabras que lo calmaran, pedirle perdón incluso, mas eso era un disparate, y, mientras, no podía dejar de permanecer ahí clavada, viendo y oyendo, llenándose de un terror frío y profundo.

... Las imágenes comenzaron a hacerse vagas; a moverse de una manera distorsionada en su mente, a medida que tornaba el sueño. Traspuesta aún, veía los ojillos agudos, pérfidos, del hombre. Su rostro sin afeitar, que cruzaban dos tajos de pálidas cicatrices. La mandíbula cuadrada, sucia. Los labios carnosos, entre los que asomaban sus dientes amarillos y disparejos y ralos, y unos colmillos de lobo. La cabeza hirsuta, la estrecha frente impresa de crueldad. En los labios había una especie de sonrisa. Murmuraban "Yegua", sin gritarlo, sin violencia ahora, suavemente, cual si fuera una galantería. O tal vez una galantería obscena, de infinita malicia. Se revolvió en el lecho, sintiéndose herida y escarnecida, presa del semisueño y de su lógica ilógica, atrabiliaria, tan fácilmente cómica y tan fácilmente diabólica. Algo la ataba a esa comarca donde parece estar el germen de la pesadilla, y también el germen de la maldad que se oculta, del ridículo, de la muerte; donde la alegría, el dolor, la desesperación, pierden sus límites. Atada. Y el Negro la miraba, y sonreía, y le decía "Yegua", y en seguida no sonreía, sino que estaba tenso, todo él tenso cual un alambre eléctrico, y continuaba repitiendo la misma palabra, en un tono de odio sin ira que se le metía en la carne y en la sangre y en los huesos *(Amor, amor),* y dentro del pecho el corazón se puso a saltarle, desbocado, y de pronto tenía el cabello suelto, flotando al viento, y no era más ella, sino una potranca galopando en medio de la oscuridad, y aunque iba por una llanura se oían crujidos de madera (Amor) y sobre todo ladridos que se acercaban poco a poco y su furia medrosa producía eco, tal si repercutieran entre cuatro paredes... Se acercaban, la rodeaban, iban a morderla esos perros...

Despertó con sobresalto.

Se quedó unos instantes semiaturdida, observando en torno. Ningún cambio: su marido yacía ahí al lado, tranquilo. La luna daba de lleno sobre la ventana del costado izquierdo, en cuyos vidrios refulgían las gotas de lluvia. Todo igual.

Suspiró.

Luego, lentamente, el trote de un caballo hizo oír su claf-claf desde el camino.

¿Qué sería? Trató de ver en su reloj, mas no lo consiguió. Un caballo. Amor –quiso decir–, un caballo. Pero calló. Escuchaba con el cuerpo entero, con el alma. Reales ahora, los ladridos se convirtieron en una algarabía agresiva. Sonó un golpe seco, un quejido, nada. El claf-claf también cesó: estaría desmontando el jinete.

–Amor.

El marido gruñó una interrogación ininteligible, entre sueños.

–¡Amor! –repitió ella.

–¿Qué hay?

–Alguien viene.

–¿Dónde? ¿Qué hora es?

–No sé.

De un soplido apagó el fósforo que él empezaba a encender.

–No. No prendas la luz. Venía por el camino.

El hombre se levantó, echándose una manta encima, y se acercó a la ventana que daba hacia afuera. Corrió la cortina en un extremo.

–¡Diablos! –exclamó.

La mujer no se atrevió a preguntar. Sabía. En unos segundos, él estuvo a su lado susurrándole instrucciones:

–Es el Negro. No te preocupes. –Abrió una gaveta–. Toma, te dejo este revólver. Ponte en ese rincón, y si asoma, disparas. No hará falta. Trata de conservar la calma, amor. Apunta con cuidado. Yo voy a salir por el corredor para sorprenderlo. Ten calma. No pasará nada.

La besó, cogió otro revólver del velador y se fue, con el sigilo de un gato, antes de que ella hubiera podido articular palabra.

Esperó.

Tenía la vista fija en el marco de cielo encuadrado, estrellado. A cada instante le parecía ver aparecer una sombra, ver moverse algo en la sombra. *Cuídate, amor. Dios mío, que todo salga bien.*

Cayó una gota del alero. Hacía rato que no caía ninguna.

Sopló una ráfaga de viento.

Otra gota.

Silencio.

Sintió un frío que la calaba.

Una tabla crujió. Sobresaltada, se volvió hacia la puerta. ¿No habría entrado el Negro por otra parte? Transcurrieron cinco, diez, quince segundos. No se repitió el crujido. ¿Y si apareciese por la ventana interior? Trató de imaginar cómo y por dónde lo haría. Podía trepar el muro bajo de la huerta, saltar... Sin embargo, estaba cojo aún. Y los dos mastines le impedirían pasar. No. Por ahí no era probable.

Una tercera gota se desprendió del alero.

¿Cuánto tiempo habría transcurrido? Tres gotas, pensó. ¿Habría un minuto, medio, entre gota y gota? ¿O no se producían a intervalos regulares?

Cuarta gota.

Estaba claro, dentro de la oscuridad. Tal vez ya iba a amanecer. Tal vez llegara la mañana y vinieran los inquilinos, y entre todos apresaran de nuevo al Negro...

Quinta gota.

*¡Por Dios!* Trató de rezar: *Padre nuestro, que estás en los Cielos, santificado sea...* No. Era absurdo. No podía.

Sexta gota. Después un crujido. Se puso atenta.

Nuevo crujido.

*No se encontraron. Viene ahí.*

El crujido siguiente fue junto a la puerta. La puerta se abrió, dejando entrever una masa de sombra más densa. Disparó. Se escuchó un murmullo quejumbroso, breve; luego el caer de un cuerpo al suelo. Luego, débilmente:

–Amor...

Arrojó el revólver y se abalanzó hacia la entrada. Tocó el cuerpo: era su marido.

–¡Por Dios, qué hice!

Él:

–Pobre amor. Huye.

Trató de acariciarle la frente, y al pasar por la piel sus dedos se encontró con la sangre, que fluía a borbotones.

–Voy a curarte.

El hombre no respondió.

–¡Amor! ¡Amor!

Silencio.

Una tabla volvió a crujir. *El revólver.* Retrocedió para buscarlo a tientas, pero sus manos no dieron con él. La segunda silueta apareció entonces en la puerta.

## ANÁLISIS

El miedo es una fuerza capaz de alterar nuestro accionar, dejándonos incluso sin respiración. Es una sensación que agudiza nuestros sentidos, permitiéndonos escuchar hasta el latido de nuestro corazón: "Una tabla crujió. Sobresaltada, se volvió hacia la puerta".

Cuando el miedo nos invade, el entorno se convierte en un extraño que nos intimida y agrede: "Por primera vez notó ella, apagada por la distancia, la monótona música del río: se vería muy pálido ahora: un río de pesadilla, resbalando con terrible lentitud, y a ambos lados los sauces beberían interminablemente, encorvados, en libación comparable a un pase de brujos, y arriba el cielo nuboso y el revolotear de los murciélagos..."

En el cuento el motivo principal es el miedo vivido por la protagonista. Sentimiento siempre *in crescendo*, generado, en primera instancia, por ruidos inofensivos que se tornan agresivos en la imaginación de la mujer: "... una tabla crujió. Luego crujió una segunda, luego una tercera; silencio. Diríase que alguien había dado unos pasos sigilosos y se había detenido", para tener finalmente una causa real: la presencia del asesino "–Es el Negro. No te preocupes. –Abrió una gaveta–. Toma, te dejo este revólver. Ponte en ese rincón, y si asoma, disparas".

El miedo es el hilo conductor de la historia, imprimiendo al relato diversas modalidades narrativas: la isocronía, que tiende a respetar la duración del tiempo de la historia y la anisocronía, que instituye una velocidad diferente de narración.

El cuento comienza en un tiempo presente. Conocemos los acontecimientos a través del relato de un narrador omnisciente: una mujer se encuentra en su habitación con su esposo, que duerme: "HABÍA DEJADO de llover cuando despertó. Aún era de noche (...) y a través de una de las ventanas penetraba el resplandor vago, fantasmal, del plenilunio".

En esta breve exposición comienza a desarrollarse el motivo principal. Ella siente crujidos en la casa (espacio interno) e imagina extrañas siluetas en el patio (espacio externo). "Tuvo miedo de nuevo.

Miedo de la hora, del frío, de los diminutos ruidos que rompían a intervalos el silencio; miedo del silencio mismo".

La mujer siente una fuerza incontrolable que se apodera de ella, transformándola en un ser temeroso y acobardado. A partir de este momento comienza a cambiar la duración temporal. Tenemos en el relato una breve pausa descriptiva (anisocronía), que funciona como prolepsis, es decir, nos entrega indicios de lo que sucederá más adelante: "Su rostro, no obstante, bañado en luz blanquecina, poseía un aire siniestro, de cadáver o criatura de otro mundo". Esta descripción del esposo acrecienta el suspenso y otorga tensión al relato.

El narrador omnisciente va presentando los hechos en un relato complementado por el pensamiento de la mujer. La presentación de este monólogo (isocronía) nos transmite, en estilo directo, la angustia de la protagonista: "Yo sé que no es nadie. Siempre pasa esto y no es nadie". Esta voz asustada intenta comunicarse, pero no es escuchada. Se convierte en un lamento, en un murmullo, en un silencio. Intenta, entonces, explicarse a sí misma por qué no recibe respuesta. Se produce un *flash-back*, donde conocemos la causa de la incomunicación: "Era la fatiga, pensó. Con tanto quehacer de la mañana a la tarde, con el madrugón de hoy..."

El ambiente físico la presiona. Cada crujido es una amenaza. Sin embargo, el silencio de la noche le permite viajar, transportarse a través de sus sentidos, más allá, hacia afuera, hacia el río, río-pesadilla, murmullo, muerte.

Se produce el primer *racconto,* que cumple la función de historia intercalada, donde se describe lo acontecido a la muchacha del río. Esta pausa descriptiva (anisocronía), si bien imprime lentitud a la marcha narrativa, logra por otra parte acrecentar el suspenso, agregando una visión de la muerte mezclada con el misterio y la irrealidad: "Nadie supo nunca quién era ni de dónde venía. Sólo que era joven, que la muerte le había conferido belleza..."

Se vuelve al tiempo presente. Nuevamente se escucha el ladrido de los perros. El temor crece, la mujer cierra los ojos y se produce un nuevo *racconto*, donde nos enteramos de la causa de su miedo. En el *racconto* se parte por el final, es decir, la sentencia dicha por el Negro, cuando es llevado preso: "¡Me lah vai a pagar, futre hijo 'e perra!" Luego se comienza a contar la historia. El esposo sorprendió al Negro cuando éste violaba a una mujer. Lo apresó y cuando el bandido se resistió e intentó huir, el marido le disparó. Ella lo curó y finalmente fue entregado a la justicia.

La frase lapidaria con que se inicia el *racconto* actúa como una prolepsis, que anuncia lo que va a suceder. Sin embargo, no quita misterio ni suspenso al relato, sino que acrecienta la ansiedad por saber si efectivamente acontecerá lo dicho por el Negro.

El Negro es un símbolo de muerte y luto para todo aquel que se cruza en su camino. No es sólo un asesino brutal, salteador, violador, sino más que nada, un ser marcado por el odio y el deseo de venganza: "Era difícil pasar las vendas por entre tantas ataduras, y entre el cuerpo del hombre y las parihuelas, en especial porque él mismo no cooperaba. Al contrario: diríase que gozaba atormentándola con su propio sufrimiento".

En el *racconto* tenemos tres anisocronías que aportan datos importantes. La primera es una pausa descriptiva, donde conocemos los rasgos sicológicos del bandido. En esta breve descripción logramos captar su imagen de fiereza: "Un bandido que era el terror de la comarca, cuyo estribo besaran muchos para implorar su gracia o su favor, y cuyo puñal guardaba el recuerdo de la carne de tantos muertos y tantos heridos". En la segunda conocemos, en una narración sumaria, el momento que genera toda la historia: "Así lo sorprendió su marido, oculto entre unas zarzas, con una mujer blanca de miedo y embadurnada de sangre". En la tercera anisocronía se cuenta, a partir de una narración sumaria, lo que ocurrió mientras el Negro estuvo en la casa y cómo ella, presa del temor, pidió a su esposo que lo liberara para evitar la venganza: "¿Por qué va a enterarse nadie? Le dejas el camino hecho, sin contarle siquiera".

En el *racconto,* el relato del narrador omnisciente es complementado por diversas escenas dialogadas (isocronías), que permiten conocer la personalidad del Negro y las reacciones de los esposos frente a sus hechos y palabras. Ejemplificaremos el estilo directo con los siguientes diálogos:

a) –Párate, Negro. Arréglate.
   –Deje mejor, patrón.
b) –¿Tiene heridas graves?
   –No. Le di en el muslo, pero es necesario contener la hemorragia.
   –Yo lo curaré.
c) –¡Y a ti también te mato, yegua fina!

La mezcla de estilos (directo e indirecto) aporta verosimilitud al relato y una mayor fuerza dramática. Al final del *racconto* entendemos la causa de la angustia de la mujer.

Se vuelve al tiempo presente, la mujer comienza a quedarse dormida y su sueño se convierte en pesadilla. En él se produce una pausa descriptiva (anisocronía), que completa el retrato del bandido: "... veía los ojillos agudos, pérfidos, del hombre. Su rostro sin afeitar, que cruzaba dos tajos de pálidas cicatrices. La mandíbula cuadrada, sucia. Los labios carnosos (...) y unos colmillos de lobo". La mujer proyecta sus temores. La amenaza del Negro la convierte en un animal, en una yegua, como él la llamó: "... dentro del pecho el corazón se puso a saltarle, desbocado, y de pronto tenía el cabello suelto, flotando al viento, y no era más ella, sino una potranca galopando en medio de la oscuridad..."

Despierta muy asustada, observa su entorno y comprueba que todo está igual. Descansa. Sin embargo, es en este momento cuando la historia llega a la crisis y los acontecimientos avanzan hacia el desenlace. Ocurre "lo esperado". Un jinete se acerca por el camino: "Escuchaba con el cuerpo entero, con el alma. Reales ahora, los ladridos se convirtieron en una algarabía agresiva". El miedo de la mujer ya no es producto de su imaginación. El asesino ha llegado. Despierta a su esposo. Éste verifica la presencia del Negro, le da instrucciones y un revólver. El cuento comienza a avanzar hacia el clímax; la velocidad narrativa se subordina al fluir síquico de la protagonista. El tiempo va más allá de lo que marcan los relojes, se transforma en un tiempo-gota, en un tiempo-muerte. La incertidumbre crece en su corazón: "¿Cuánto tiempo habría transcurrido? Tres gotas, pensó. ¿Habría un minuto, medio, entre gota y gota?"

Comienzan nuevamente los crujidos, pero esta vez se aproximan hacia la habitación, una puerta se abre y ella dispara. Sin embargo, la espera aún no ha terminado, ya que la sombra que ha caído es su esposo.

Una tabla vuelve a crujir, aparece una segunda figura, pero el revólver ya no está a su alcance: "La segunda silueta apareció entonces en la puerta".

En síntesis, el cuento logra introducir al lector en un mundo de angustia creciente. Conocemos el desarrollo de los acontecimientos (narrador omnisciente) y al mismo tiempo el conflicto interior se gesta en la conciencia de la protagonista (monólogo). Esta técnica aumenta la tensión y permite captar todos los antecedentes de la situación, imprimiendo además diversas velocidades narrativas (duración temporal) a la historia.

### *Actividades*

1. Haz un dibujo inspirado en el cuento. Píntalo dos veces con colores distintos: en la primera que expresen alegría y en la segunda, tristeza. Compara los resultados y analiza sus diferencias.
2. Relaciona el cuento leído con alguna película que hayas visto.
3. Representa, con tus compañeros, situaciones que para ti sean provocadoras de miedo. Compáralas con la vivida por la protagonista.
4. Organiza con ayuda de tu profesor un tribunal (juez, secretario, jurado, testigos, acusado, abogado defensor, etc.) para juzgar al Negro.
5. Narra una experiencia personal en la que hayas sentido miedo.
6. Escribe cinco noticias de algunos crímenes cometidos por el Negro. No olvides utilizar estilo periodístico.
7. Describe diez situaciones de la vida diaria en las cuales no te gustaría estar. Inspírate en el cuento leído.
8. Busca palabras que se escriban igual pero que, al cambiar la posición del acento, varíen su sentido. Ejemplo: célebre, celebre, celebré.
9. Escribe un listado de verbos terminados en ger, gir, giar, gerar. Escoge cinco y redacta un pequeño texto donde cuentes una aventura del Negro.

10. Observa el uso de los dos puntos en los siguientes ejemplos y, con ayuda de tu profesor, elabora la regla correspondiente:

Mas él no había acabado:

– Si me llevan preso, me van a joder.

Insensible a los golpes que le daban para aquietarlo, gritaba:

–¡Me lah vai a pagar, futre hijo'e perra!

11. Realiza, con ayuda de tu profesor, un esquema con la clasificación del pronombre (personales, posesivos, demostrativos, relativos, interrogativos, exclamativos, indefinidos).

Inventa diez oraciones con pronombres y que estén relacionadas con el contenido del cuento.

12. Investiga con tus compañeros la clasificación de la oración según la función del lenguaje. Luego, con ayuda de tu profesor, identifícalas en el cuento.

13. Relaciona la columna A con la B:

| A | | B |
|---|---|---|
| 1. Plenilunio | ___ | Lleno de piedras. |
| 2. Impasible | ___ | Sin armas. |
| 3. Libación | ___ | Rusticidad, falta de cultura. |
| 4. Inerme | ___ | Arbusto rosáceo, cuyo fruto es la zarzamora. |
| 5. Pedregoso | ___ | Burla, mofa. |
| 6. Befa | ___ | Sutil, muy delgado. |
| 7. Grácil | ___ | Astuto, suspicaz. |
| 8. Matrero | ___ | Luna llena. |
| 9. Barbarie | ___ | Insensible. |
| 10. Zarza | ___ | Efusión de vino o de otro licor que hacían los antiguos en honor de los dioses. |

14. Describe el ambiente sicológico del cuento y fundamenta tus afirmaciones con fragmentos extraídos del texto.

15. Clasifica las distintas perspectivas narrativas presentes en el cuento.

16. Relaciona la columna A con la B:

| A | B |
|---|---|
| 1. Metáfora | __ Siempre pasa esto y no es nadie. No es nadie. Nadie. |
| 2. Personificación | __ Sentía incrustados en su carne esos ojos de acero. |
| 3. Onomatopeya | __ Describir un arco como un aerolito. |
| 4. Comparación | __ Los sauces beberían interminablemente encorvados. |
| 5. Repetición | __ El trote de un caballo hizo oír su claf-claf... |

## **Gabriel García Márquez**

*(Colombiano, 1928-     )*

"... y siguió viéndolo hasta cuando ya no era posible que lo pudiera ver..."

Este Premio Nobel de Literatura (1982) es una de las figuras más sobresalientes de la literatura hispanoamericana. Nació en Aracataca y creció en compañía de sus abuelos, de los que recibió el tesoro de mitos, leyendas, cuentos de la rica tradición oral hispanohablante. Ingresó a la Universidad Nacional de Colombia para seguir la carrera de Derecho, pero abandonó sus estudios para dedicarse al periodismo e iniciar su vida literaria.

Es un excepcional narrador, creador de un mundo donde lo real y lo mágico se funden y potencian, entregando una visión sorprendentemente certera y profunda de la realidad.

Obras: *La hojarasca* (1955); *Relato de un náufrago* (1955); *El coronel no tiene quien le escriba* (1961); *Los funerales de la Mamá Grande* (1962); *La mala hora* (1962); *Cien años de soledad* (1967); *La increíble y triste historia de la cándida Eréndida y de su abuela desalmada* (1972); *Ojos de perro azul* (1972); *El otoño del patriarca* (1975); *Crónica de una muerte anunciada* (1981); *El amor en los tiempos del cólera* (1985); *La aventura de*

*Miguel Littín clandestino en Chile* (1986); *El general en su laberinto* (1989); *Doce cuentos peregrinos* (1992); *Del amor y otros demonios* (1994); *Noticia de un secuestro* (1996). *La bendita manía de contar* (1998).

# UN SEÑOR MUY VIEJO CON UNAS ALAS ENORMES

Al tercer día de lluvia habían matado tantos cangrejos dentro de la casa, que Pelayo tuvo que atravesar su patio anegado para tirarlos en el mar, pues el niño recién nacido había pasado la noche con calenturas y se pensaba que era a causa de la pestilencia. El mundo estaba triste desde el martes. El cielo y el mar eran una misma cosa de ceniza, y las arenas de la playa, que en marzo fulguraban como polvo de lumbre, se habían convertido en un caldo de lodo y mariscos podridos. La luz era tan mansa al mediodía, que cuando Pelayo regresaba a la casa después de haber tirado los cangrejos, le costó trabajo ver qué era lo que se movía y se quejaba en el fondo del patio. Tuvo que acercarse mucho para descubrir que era un hombre viejo, que estaba tumbado boca abajo en el lodazal, y a pesar de sus grandes esfuerzos no podía levantarse, porque se lo impedían sus enormes alas.

Asustado por aquella pesadilla, Pelayo corrió en busca de Elisenda, su mujer, que estaba poniéndole compresas al niño enfermo, y la llevó hasta el fondo del patio. Ambos observaron el cuerpo caído con un callado estupor. Estaba vestido como un trapero. Le quedaban apenas unas hilachas descoloridas en el cráneo pelado y muy pocos dientes en la boca, y su lastimosa condición de bisabuelo ensopado lo había desprovisto de toda grandeza. Sus alas de gallinazo grande, sucias y medio desplumadas, estaban encalladas para siempre en el lodazal. Tanto lo observaron, y con tanta atención, que Pelayo y Elisenda se sobrepusieron muy pronto del asombro y acabaron por encontrarlo familiar. Entonces se atrevieron a hablarle, y él les contestó en un dialecto incomprensible pero con una buena voz de navegante. Fue así como pasaron por alto el inconveniente de las alas, y concluyeron con muy buen juicio que era un náufrago solitario de alguna nave extranjera abatida por el temporal. Sin embargo, llamaron para que lo viera a una vecina que sabía todas las cosas de la vida y la muerte, y a ella le bastó con una mirada para sacarlos del error.

–Es un ángel –les dijo–. Seguro que venía por el niño, pero el pobre está tan viejo que lo ha tumbado la lluvia.

Al día siguiente todo el mundo sabía que en casa de Pelayo tenían cautivo un ángel de carne y hueso. Contra el criterio de la vecina sabia, para quien los ángeles de estos tiempos eran sobrevivientes fugitivos de una conspiración celestial, no habían tenido corazón para matarlo a palos. Pelayo estuvo vigilándolo toda la tarde desde la cocina, armado con su garrote de alguacil, y antes de acostarse lo sacó a rastras del lodazal y lo encerró con las gallinas en el gallinero alambrado. A medianoche, cuando terminó la lluvia, Pelayo y Elisenda seguían matando cangrejos. Poco después el niño despertó sin fiebre y con deseos de comer. Entonces se sintieron magnánimos y decidieron poner al ángel en una balsa con agua dulce y provisiones para tres días, y abandonarlo a su suerte en altamar. Pero cuando salieron al patio con las primeras luces, encontraron a todo el vecindario frente al gallinero, retozando con el ángel sin la menor devoción y echándole cosas de comer por los huecos de las alambradas, como si no fuera una criatura sobrenatural sino un animal de circo.

El padre Gonzaga llegó antes de las siete alarmado por la desproporción de la noticia. A esta hora ya habían acudido curiosos menos frívolos que los del amanecer, y habían hecho toda clase de conjeturas sobre el porvenir del cautivo. Los más simples pensaban que sería nombrado alcalde del mundo. Otros, de espíritu más áspero, suponían que sería ascendido a general de cinco estrellas para que ganara todas las guerras. Algunos visionarios esperaban que fuera conservado como semental para implantar en la tierra una estirpe de hombres alados y sabios que se hicieran cargo del universo. Pero el padre Gonzaga, antes de ser cura, había sido leñador macizo. Asomado a las alambradas repasó en un instante su catecismo, y todavía pidió que le abrieran la puerta para examinar de cerca a aquel varón de lástima que más bien parecía una enorme gallina decrépita entre las gallinas absortas. Estaba echado en un rincón, secándose al sol las alas extendidas, entre las cáscaras de frutas y las sobras de desayunos que le habían tirado los madrugadores. Ajeno a las impertinencias del mundo, apenas si levantó sus ojos de anticuario y murmuró algo en su dialecto cuando el padre Gonzaga entró en el gallinero y le dio los buenos días en latín. El párroco tuvo la primera sospecha de su impostura al comprobar que no entendía la lengua de Dios ni sabía saludar a sus ministros. Luego observó que visto de cerca resultaba demasiado humano: tenía un insoportable olor de intemperie, el revés de las alas sembrado de algas parasitarias y las plumas mayores maltratadas por vientos terrestres, y nada de su naturaleza miserable estaba de acuerdo con la egregia dignidad de los ángeles. Entonces abandonó el gallinero, y con un breve sermón previno a los curiosos contra los riesgos de la ingenuidad. Les recordó que el demonio tenía la mala costumbre de recurrir a artificios de carnaval para confundir a los incautos. Argumentó que si las alas no eran el elemento esencial para determinar las diferencias entre un gavilán y un aeroplano, mucho menos podían serlo para reconocer a los ángeles. Sin embargo, prometió escribir una carta a su obispo, para que éste escribiera otra a su primado y para que éste escribiera otra al Sumo Pontífice, de modo que el veredicto final viniera de los tribunales más altos.

Su prudencia cayó en corazones estériles. La noticia del ángel cautivo se divulgó con tanta rapidez, que al cabo de pocas horas había en el patio un alboroto de mercado, y tuvieron que llevar la tropa con bayonetas para espantar el tumulto que ya estaba a punto de tumbar la casa. Elisenda, con el espinazo torcido de tanto barrer basura de feria, tuvo entonces la buena idea de tapiar el patio y cobrar cinco centavos por la entrada para ver al ángel.

Vinieron curiosos hasta de la Martinica. Vino una feria ambulante con un acróbata volador, que pasó zumbando varias veces por encima de la muchedumbre, pero nadie le hizo caso porque sus alas no eran de ángel sino de murciélago sideral. Vinieron en busca de salud los enfermos más desdichados del Caribe: una pobre mujer que desde niña estaba contando los latidos de su corazón y ya no le alcanzaban los números, un jamaiquino que no podía dormir porque lo atormentaba el ruido de las estrellas, un sonámbulo que se levantaba de noche a deshacer las cosas que había hecho despierto, y muchos otros de menor gravedad. En medio de aquel desorden de naufragio que hacía temblar la tierra, Pelayo y Elisenda estaban felices de cansancio, porque en menos de una semana atiborraban de plata los dormitorios, y todavía la fila de peregrinos que esperaban turno para entrar llegaba hasta el otro lado del horizonte.

El ángel era el único que no participaba de su propio acontecimiento. El tiempo se le iba en buscar acomodo en su nido prestado, aturdido por el calor de infierno de las lámparas de aceite y las velas de sacrificio que le arrimaban a las alambradas. Al principio trataron de que comiera cristales de alcanfor, que, de acuerdo con la sabiduría de la vecina sabia, era el alimento específico de los ángeles. Pero él los despreciaba, como despreció sin probarlos los almuerzos papales que le llevaban los penitentes, y nunca se supo si fue por ángel o por viejo que terminó comiendo nada más que papillas de berenjena. Su única virtud sobrenatural parecía ser la paciencia.

Sobre todo en los primeros tiempos, cuando lo picoteaban las gallinas en busca de los parásitos estelares que proliferaban en sus alas, y los baldados le arrancaban plumas para tocarse con ellas sus defectos, y, hasta los más piadosos le tiraban piedras tratando de que se levantara para verlo de cuerpo entero. La única vez que consiguieron alterarlo fue cuando le abrasaron el costado con un hierro de marcar novillos, porque llevaba tantas horas de estar inmóvil que lo creyeron muerto. Despertó sobresaltado, despotricando en lengua hermética y con los ojos en lágrimas, y dio un par de aletazos que provocaron un remolino de estiércol de gallinero y polvo lunar, y un ventarrón de pánico que no parecía de este mundo. Aunque muchos creyeron que su reacción no había sido de rabia sino de dolor, desde entonces se cuidaron de no molestarlo, porque la mayoría entendió que su pasividad no era la de un héroe en uso de buen retiro sino la de un cataclismo en reposo.

El padre Gonzaga se enfrentó a la frivolidad de la muchedumbre con fórmulas de inspiración doméstica mientras le llegaba un juicio terminante sobre la naturaleza del cautivo. Pero el correo de Roma había perdido la noción de la urgencia. El tiempo se les iba en averiguar si el convicto tenía ombligo, si su dialecto tenía algo que ver con el arameo, si podía caber muchas veces en la punta de un alfiler, o si no sería simplemente un noruego con alas. Aquellas cartas de parsimonia habrían ido y venido hasta el fin de los siglos, si un acontecimiento providencial no hubiera puesto término a las tribulaciones del párroco.

Sucedió que por esos días, entre muchas otras atracciones de las ferias errantes del Caribe, llevaron al pueblo el espectáculo triste de la mujer que se había convertido en araña por desobedecer a sus padres. La entrada para verla no sólo costaba menos que la entrada para ver al ángel, sino que permitían hacerle toda clase de preguntas sobre su absurda condición, y examinarla al derecho y al revés, de modo que nadie pusiera en duda la verdad del horror. Era una tarántula espantosa del tamaño de un carnero y con la cabeza de una doncella triste. Pero lo más desgarrador no era su figura de disparate, sino la sincera aflicción con que contaba los pormenores de su desgracia; siendo casi una niña se había escapado de la casa de sus padres para ir a un baile, y cuando regresaba por el bosque después de haber bailado toda la noche sin permiso, un trueno pavoroso abrió el cielo en dos mitades, y por aquella grieta salió el relámpago de azufre que la convirtió en araña.

Su único alimento eran las bolitas de carne molida que las almas caritativas quisieran echarle en la boca. Semejante espectáculo, cargado de tanta verdad humana y de tan temible escarmiento, tenía que derrotar sin proponérselo al de un ángel despectivo que apenas si se dignaba a mirar a los mortales. Además los escasos milagros que se le atribuían al ángel revelaban un cierto desorden mental, como el del ciego que no recobró la visión pero le salieron tres dientes nuevos, y el del paralítico que no pudo andar pero estuvo a punto de ganarse la lotería, y el del leproso a quien le nacieron girasoles en las heridas. Aquellos milagros de consolación que más bien parecían entretenimientos de burla, habían quebrantado ya la reputación del ángel cuando la mujer convertida en araña terminó de aniquilarla. Fue así como el padre Gonzaga se curó para siempre del insomnio, y el patio de Pelayo volvió a quedar solitario como en los tiempos en que llovió tres días y los cangrejos caminaban por los dormitorios.

Los dueños de la casa no tuvieron nada que lamentar. Con el dinero recaudado construyeron una mansión de dos plantas, con balcones y jardines, y con sardineles muy altos para que no se metieran los cangrejos del invierno, y con barras de hierro en las ventanas para que no se metieran los ángeles. Pelayo estableció además un criadero de conejos muy cerca del pueblo y renunció para siempre a su mal empleo de alguacil, y Elisenda se compró unas zapatillas satinadas de tacones altos y muchos vestidos de seda tornasol, de los que usaban las señoras más codiciadas en los domingos de aquellos tiempos. El gallinero fue lo único que no mereció atención. Si alguna vez lo lavaron con creolina y quemaron las lágrimas de mirra en su interior, no fue por hacerle honor al ángel, sino por conjurar la pestilencia de muladar que ya andaba como fantasma por todas partes y estaba volviendo vieja la casa nueva. Al principio, cuando el niño aprendió a caminar, se cuidaron de que no estuviera muy cerca del gallinero. Pero luego se fueron olvidando del temor y acostumbrándose a la peste, y antes de que el niño mudara los dientes se había metido a jugar dentro del gallinero, cuyas alambradas podridas se hacían pedazos. El ángel no fue menos displicente con él que con el resto de los mortales, pero soportaba las infamias más ingeniosas con una mansedumbre de perro sin ilusiones. Ambos contrajeron la varicela al mismo tiempo. El médico que atendió al niño no resistió a la tentación de auscultar al ángel, y le encontró tantos soplos en el corazón y tantos ruidos en los riñones, que no le pareció posible que estuviera vivo. Lo que más le asombró, sin embargo, fue la lógica de sus alas. Resultaban tan naturales en aquel organismo completamente humano, que no podía entenderse por qué no las tenían también los otros hombres.

Cuando el niño fue a la escuela, hacía mucho tiempo que el sol y la lluvia habían desbaratado el gallinero. El ángel andaba arrastrándose por acá y por allá como un moribundo sin dueño. Lo sacaban a escobazos de un dormitorio y, un momento después lo encontraban en la cocina. Parecía estar en tantos lugares al mismo tiempo que llegaron a pensar que se desdoblaba, que se repetía a sí mismo por toda la casa, y la exasperada Elisenda gritaba fuera de quicio que era una desgracia vivir en aquel infierno lleno de ángeles. Apenas si podía comer, sus ojos de anticuario se le habían vuelto tan turbios que andaba tropezando con los horcones, y ya no le quedaban sino las cánulas peladas de las últimas plumas. Pelayo le echó encima una manta y le hizo la caridad de dejarlo dormir en el cobertizo, y sólo entonces advirtieron que pasaba la noche con calenturas delirando en trabalenguas de noruego viejo. Fue ésa una de las pocas veces en que se alarmaron, porque pensaban que se iba a morir, y ni siquiera la vecina sabia había podido decirles qué se hacía con los ángeles muertos.

Sin embargo, no sólo sobrevivió a su peor invierno, sino que pareció mejor con los primeros soles. Se quedó inmóvil muchos días en el rincón más apartado del patio, donde nadie lo viera, y a principios de diciembre empezaron a nacerle en las alas unas plumas grandes y duras, plumas de pajarraco viejo, que más bien parecían un nuevo percance de la decrepitud. Pero él debía conocer la razón de esos cambios, porque se cuidaba muy bien de que nadie los notara, y de que nadie oyera las canciones de navegantes que a veces cantaba bajo las estrellas. Una mañana, Elisenda estaba cortando rebanadas de cebolla para el almuerzo, cuando un viento que parecía de altamar se metió en la cocina. Entonces se asomó por la ventana, y sorprendió al ángel en las primeras tentativas del vuelo. Eran tan torpes, que abrió con las uñas un surco de arado en las hortalizas y estuvo a punto de desbaratar el cobertizo con aquellos aletazos indignos que resbalaban en la luz y no encontraban asidero en el aire. Pero logró ganar altura. Elisenda exhaló un suspiro de descanso, por ella y por él, cuando lo vio pasar por encima de las últimas casas, sustentándose de cualquier modo con un azaroso aleteo de buitre senil. Siguió viéndolo hasta cuando acabó de cortar la cebolla, y siguió viéndolo hasta cuando ya no era posible que lo pudiera ver, porque entonces ya no era un estorbo en su vida, sino un punto imaginario en el horizonte del mar.

## ANÁLISIS

El título y el primer párrafo de este cuento son sintomáticos de un modo de ver la realidad que nos parece muy latinoamericano.

Un ángel deviene "un señor muy viejo con unas alas enormes" o sea, no es visto ni tratado en verdad como un ser celestial, sobrenatural. No sólo eso sino que termina predominando la circunstancia de su vejez y decrepitud. La condición de ser alado no merece mayor atención, a no ser por su magnitud, al parecer, excesiva.

El primer párrafo describe una realidad marcada también por lo excesivo; tres días de lluvia traen inundación del patio y la invasión de la casa por los cangrejos, causantes de la pestilencia que afiebra al hijo recién nacido. "El cielo y el mar eran una misma cosa de ceniza, y las arenas (...) se habían convertido en un caldo de lodo y mariscos podridos. La luz era tan mansa al mediodía", que no permite distinguir nada con precisión. En síntesis: ceniza, podredumbre, pestilencia. El párrafo termina con "un hombre viejo" que "... a pesar de sus grandes esfuerzos no podía levantarse, porque se lo impedían sus enormes alas". La realidad está aplastada, degradada por la exuberancia. Las alas no ayudan sino que impiden no sólo el vuelo sino que también levantarse.

La exuberancia no es una bendición sino una desgracia que recubre de tal modo la realidad, que impide llegar a conocerla.

El prodigio se registra como "pesadilla", con callado estupor, por dos *personajes* que tienen nombres que suenan legendarios: Pelayo y Elisenda. Ellos observan "... el cuerpo caído (...) vestido como un trapero", con "... unas hilachas descoloridas en el cráneo pelado y muy pocos dientes en la boca...", en condición de "... bisabuelo ensopado (...) desprovisto de toda grandeza", con "... alas de gallinazo grande, sucias y medio desplumadas (...) encalladas para siempre en el lodazal".

Hay un modo de observación centrado en ciertas características que impiden ver otras dimensiones reales de la realidad. Así "Tanto lo observaron, y con tanta atención, que Pelayo y Elisenda se sobrepusieron muy pronto del asombro y acabaron por encontrarlo familiar".

¿Era debido a la costumbre de vivir entre el prodigio, o se trataba de una defensa frente a lo extraordinario y la necesidad de integrarlo a la rutina de lo familiar?

Hay una figura literaria que prolifera a lo largo del cuento: el *oxímoron,* el encuentro de dos realidades contrapuestas. En este caso el *oxímoron* no ayuda a revelar una realidad surgida de este choque de contrarios, sino que termina anulando lo más excelso. Esto queda absorbido por lo degradado. Lo celestial del ángel es encubierto por lo terrestre: la naturaleza miserable borra de la percepción la "egregia dignidad".

Esto es declarado por una vecina que "... sabía todas las cosas de la vida y de la muerte...", pero las sabe de tal manera que la verdad cae deformada por patrañas. La revelación de la condición celestial del visitante se enturbia además por la explicación del sacerdote que, con una ciencia anacrónica, no hace sino confundir las cosas para terminar por remitir el último juicio a la declaración de una autoridad distante que no llega jamás. La imagen final de este examen queda, así, estampada en estas palabras: era un "... varón de lástima que más bien parecía una enorme gallina decrépita entre las gallinas absortas."

Los dueños de casa, cuando mejora el niño, "... se sintieron magnánimos y decidieron poner al ángel en una balsa con agua dulce y provisiones para tres días, y abandonarlo a su suerte en altamar. Pero cuando salieron al patio con las primeras luces, encontraron a todo el vecindario frente al gallinero, retozando con el ángel sin la menor devoción y echándole cosas de comer por los huecos de las alambradas, como si no fuera una criatura sobrenatural sino un animal de circo."

Toda la comunidad manifiesta de esta manera una actitud que no permite advertir el prodigio y aceptarlo como tal y, en cambio, resbalando por la superficie, usufructúa la oportunidad para divertir su rutina.

Para Pelayo y Elisenda la presencia del ángel encerrado en el gallinero se convierte en el más lucrativo de los negocios y es ocasión para un descomunal concurso de rarezas; el portento se empareja con lo extravagante y por esta vía, al final, el ángel termina totalmente opacado por la presencia de una mujer araña. El ángel ha quedado apresado entre "... gallinas en busca de los parásitos estelares que proliferaban en sus alas...", "... un remolino de estiércol de gallinero y polvo lunar, y un ventarrón de pánico que no parecía de este mundo."

El modo de presentar esta situación es revelador de la perspectiva con que el pueblo registra esta realidad, donde lo más alto y lo más bajo se entreveran y borran todo relieve y perfil a la presencia del ángel entre los hombres.

La dueña de casa utiliza las ganancias de la exhibición del ángel para reconstruir "... una mansión de dos plantas, con balcones y jardines, y con sardineles muy altos para que no se metieran los cangrejos del invierno, y con barras de hierro en las ventanas para que no se metieran los ángeles." El texto es explícito: cuando el hombre tiene los medios, los aprovecha para protegerse de la irrupción en su vida de todo elemento perturbador: cangrejo o ángel. No hay discernimiento entre uno y otro.

Esta protección contra "lo otro" se objetiva en una manera de mirar sin ver. Esto se traduce en la visión que se tiene del ángel con su "... mansedumbre de perro sin ilusiones" o de "... moribundo sin dueño" o la ubicuidad angelical que convierte la casa en "... infierno lleno de ángeles".

Esta perspectiva de Elisenda se complementa con la del médico que se asombra de la "lógica de las alas", pero de este asombro no deriva la aceptación de su condición sobrenatural sino todo lo contrario: "Resultaban tan naturales en aquel organismo completamente humano, que no podía entenderse por qué no las tenían también los otros hombres". En síntesis, ni el vulgo, ni el clero, ni la medicina asumen la realidad tal como es si con ello es preciso abrirse a "lo otro".

Por eso se alarman ante la posibilidad de su muerte. Nadie sabe qué hacer "con los ángeles muertos."

Por esto, también, cuando el ángel logra volar "Elisenda exhaló un suspiro de descanso, por ella y por él,... y siguió viéndolo hasta cuando ya no era posible que lo pudiera ver, porque entonces ya no era un estorbo en su vida, sino un punto imaginario en el horizonte del mar".

Elisenda, en este cuento, representa simbólicamente, al hombre masa latinoamericano, hoy consumido por el consumismo, que no quiere en su entorno nada que le altere su rutina, que le recuerde la existencia de una realidad "otra".

*Actividades*

1. Crea un diccionario imaginario con términos utilizados por los ángeles.

2. Elige un momento del cuento y dibuja una caricatura o cómic de la situación.

3. Organiza con tus compañeros un baile de disfraces, para el que se caracterizarán como personajes relacionados con el cuento: ángeles, acróbatas, sonámbulos, cura, parásitos estelares, mujer araña, cangrejos, Elisenda, Pelayo, vecina sabia, etc. Intenten ser creativos.

4. Inventa un lema con el que Elisenda y Pelayo promocionen al ángel.

5. Organiza con ayuda de tu profesor un "Phillips 66", dónde analicen la actitud de las personas ante el ángel.

6. Redacta un telegrama para anunciar la llegada del ángel. Envíalo y consulta las reacciones de quienes lo reciben.

7. Escribe un relato situado en el año 3035, cuyo protagonista sea un hombre que llega a un planeta habitado por ángeles. ¿Qué dirían los ángeles? ¿Cómo reaccionarían? ¿Cómo crees tú que se comunican los ángeles?

8. Revisa con ayuda de tu profesor las reglas del acento dierético y busca con tus compañeros diez ejemplos que aparezcan en el cuento.

9. Investiga el significado de los prefijos *ex* y *extra* y agrégalos a las palabras del cuento que los acepten. Observa los cambios.

10. Enuncia con ayuda de tu profesor una regla del uso de la coma, partiendo de los siguientes ejemplos:

–Lo que más le asombró, sin embargo, fue la lógica de las alas.

–Pelayo y Elisenda ganaron con la presencia del ángel, es decir, se enriquecieron.

–Todos admiraban al ángel, no obstante, lo abandonaron al conocer a la mujer araña.

11. Completa las siguientes oraciones con la preposición que corresponda (con, contra, de, desde, entre, hasta, por, sin).

–El mundo estaba triste___el martes.

–Vinieron curiosos___de la Martinica.

–Asustado____aquella pesadilla, Pelayo corrió en busca Elisenda, su mujer, que estaba poniéndole compresas al niño enfermo.

–Poco después el niño despertó_____fiebre y_____deseos de comer.

–Parecía una enorme gallina decrépita_____las gallinas absortas.

–Entonces abandonó el gallinero, y con un breve sermón previno a los curiosos_____los riesgos de la ingenuidad.

12. Analiza el sujeto y predicado (núcleo y modificadores) en las siguientes oraciones:

–El padre Gonzaga llegó antes de las siete alarmado por la desproporción de la noticia.

–Los dueños de la casa no tuvieron nada que lamentar.

–El gallinero fue lo único que no mereció atención.

–Ambos contrajeron la varicela al mismo tiempo.

–Los más simples pensaban que sería nombrado alcalde del mundo.

–Su prudencia cayó en corazones estériles.

–El cielo y el mar eran una misma cosa de ceniza.

13. Busca el significado de las siguientes palabras e inventa una oración con tres de ellas:

Impertinencia, dialecto, impostura, intemperie, egregia, incauto, baldado, hermética, sardineles, muladar, mirra.

14. Cita fragmentos donde se describa el ambiente sociológico antes y después de la aparición del ángel en las vidas de Pelayo y Elisenda.

15. Menciona cinco acontecimientos del cuento leído que para ti sean importantes y relaciónalos con alguna experiencia de tu vida.

16. Crea un relato en primera persona en que el ángel cuente su experiencia con los humanos.

# ÍNDICE

I. INTRODUCCIÓN
Es importante leer hoy . . . . . . . . . . . . . . . . . . . . 5

II. EL CUENTO
1. Acción o acontecimiento . . . . . . . . . . . . . . . . 9
1.1 Intriga y fábula . . . . . . . . . . . . . . . . . . . . 9
1.2 Fases . . . . . . . . . . . . . . . . . . . . . . . . . . . 10
1.3 Composición . . . . . . . . . . . . . . . . . . . . . . . 12
1.4 Motivo . . . . . . . . . . . . . . . . . . . . . . . . . . 13
1.5 Tema . . . . . . . . . . . . . . . . . . . . . . . . . . . 13

2. Personajes . . . . . . . . . . . . . . . . . . . . . . . . . 14
2.1 Relieve . . . . . . . . . . . . . . . . . . . . . . . . . . 14
2.2 Caracterización . . . . . . . . . . . . . . . . . . . . . 15
2.3 Modo de caracterizar . . . . . . . . . . . . . . . . . 15
2.4 Evolución . . . . . . . . . . . . . . . . . . . . . . . . . 16
2.5 Composición . . . . . . . . . . . . . . . . . . . . . . . 17
2.6 Proyección . . . . . . . . . . . . . . . . . . . . . . . . 17

3. Ambiente . . . . . . . . . . . . . . . . . . . . . . . . . . 19
3.1 Ambiente físico . . . . . . . . . . . . . . . . . . . . . 19
3.2 Ambiente sicológico . . . . . . . . . . . . . . . . . . 19
3.3 Ambiente sociológico . . . . . . . . . . . . . . . . . 19

4. Narrador . . . . . . . . . . . . . . . . . . . . . . . . . . 20
4.1 Perspectiva narrativa . . . . . . . . . . . . . . . . . 21
4.2 Actitud narrativa . . . . . . . . . . . . . . . . . . . . 22

4.3 Tipos de discurso o modos narrativos . . . . . . . 22

5. Tiempo . . . . . . . . . . . . . . . . . . . . . . . . . . . 23
5.1 Orden temporal . . . . . . . . . . . . . . . . . . 24
5.2 Duración temporal . . . . . . . . . . . . . . . . 25

6. Espacio . . . . . . . . . . . . . . . . . . . . . . . . . . . 27

7. Procedimientos expresivos . . . . . . . . . . . . . . 28
7.1 Nivel fónico . . . . . . . . . . . . . . . . . . . . 28
7.2 Nivel morfosintáctico . . . . . . . . . . . . . . 29
7.3 Nivel semántico . . . . . . . . . . . . . . . . . . 30

*Horacio Quiroga* . . . . . . . . . . . . . . . . . . . . . . . 33
EL HOMBRE MUERTO . . . . . . . . . . . . . . . . . . . 35

*Manuel Rojas* . . . . . . . . . . . . . . . . . . . . . . . . 47
EL HOMBRE DE LA ROSA . . . . . . . . . . . . . . . . 49

*Salvador Salazar Arrué* . . . . . . . . . . . . . . . . . 67
LA BOTIJA . . . . . . . . . . . . . . . . . . . . . . . . . . 68

*Arturo Uslar Pietri* . . . . . . . . . . . . . . . . . . . . 77
LA LLUVIA . . . . . . . . . . . . . . . . . . . . . . . . . 79

*Augusto Roa Bastos* . . . . . . . . . . . . . . . . . . . 101
EL PRISIONERO . . . . . . . . . . . . . . . . . . . . . . 103

*Juan Rulfo* . . . . . . . . . . . . . . . . . . . . . . . . . . 119
ES QUE SOMOS MUY POBRES . . . . . . . . . . . . . 121

*Guillermo Blanco* . . . . . . . . . . . . . . . . . . . . . 131
LA ESPERA . . . . . . . . . . . . . . . . . . . . . . . . . 133

*Gabriel García Márquez* . . . . . . . . . . . . . . . . . 155
UN SEÑOR MUY VIEJO CON UNAS ALAS ENORMES . . . 157